Quand je serai libre...

ARIANE LABERGE

Quand je serai libre...

Retrouver son équilibre
pour se refaire une vie

Conception de la couverture: Christian Campana
www.christiancampana.com
Illustration de la couverture: iStockphoto

Dépôt légal : 3e trimestre 2014
Bibliothèque et Archives nationales du Québec
Bibliothèque et Archives Canada

ISBN 978-2-89092-670-7
ISBN Epub: 978-2-89092-681-3

BÉLIVEAU éditeur 920, rue Jean-Neveu
Longueuil (Québec) Canada J4G 2M1
Tél.: 450 679-1933 Téléc.: 450 679-6648

www.beliveauediteur.com
admin@beliveauediteur.com

Gouvernement du Québec – Programme de crédit d'impôt pour l'édition de livres – Gestion SODEC – www.sodec.gouv.qc.ca.

Nous reconnaissons l'aide financière du gouvernement du Canada par l'entremise du Fonds du livre du Canada pour nos activités d'édition.

IMPRIMÉ AU CANADA

À mes grand-mères,

À ma mère et à ma fille Sarah,

Vous êtes le fil d'amour qui me relie à la vie.

À toutes les FAM qui ont marché avant moi,

À toutes les FAM qui suivront leurs pas,

***F**emmes **A**ccomplies et **M**agnifiques à en devenir,*
c'est pour vous.

Table des matières

Introduction 9

PREMIÈRE PARTIE
LE POINT DE DÉPART

Chapitre 1 : Qui suis-je? 15
Chapitre 2 : Où suis-je? 23
Chapitre 3 : Est-ce que j'existe encore? 27
Chapitre 4 : D'où est-ce que je viens? 33

DEUXIÈME PARTIE
LE POINT DE MATCH

Chapitre 5 : Les échanges 39
Chapitre 6 : La mise en échec 47
Chapitre 7 : Le point décisif 53
Chapitre 8 : Le K.-O. 59

TROISIÈME PARTIE
LE BRANLE-BAS DE COMBAT

Chapitre 9: Qu'est-ce que le monde va dire? 67
Chapitre 10: Je ne veux pas faire de peine à mes enfants 75
Chapitre 11: Je ne comprends rien! 83
Chapitre 12: Je veux juste la paix, garde tout 89
Chapitre 13: Qu'il mange de la «marde»! 99

QUATRIÈME PARTIE
APRÈS LA PLUIE, LE BEAU TEMPS

Chapitre 14: Retrouver l'équilibre, refaire son nid 109
Chapitre 15: Se refaire une vie 117
Chapitre 16: Test: un deux, un deux 123
Chapitre 17: La théorie de la bonne étoile 129

Conclusion 137
Témoignages de FAM, *Femme Accomplie et Magnifique* 145
Remerciements 155
Des ouvrages inspirants 157
À propos de l'auteure 161

«Nous avons deux vies, la deuxième commence quand on réalise que nous n'en avons qu'une.»

– CONFUCIUS

Introduction

CE LIVRE EST POUR VOUS. JE L'AI ÉCRIT EN PENSANT À VOUS. Si vous le tenez entre vos mains, c'est que la vie l'a mis sur votre route. Peut-être en avez-vous besoin? Je ne crois pas au hasard dans la vie, je crois sincèrement que celle-ci met sur notre chemin les outils dont nous avons besoin pour évoluer en tant qu'être humain. Parfois, ce sont des événements, parfois ce sont des gens et parfois ce sont des livres.

Si j'ai décidé de me confier dans ce livre, c'est pour vous aider. Qui suis-je pour vous aider? Je me suis posé la question et j'en suis venue à la conclusion que je ne suis que moi. Et j'ai cru que c'était suffisant. Savez-vous pourquoi? Parce que mon histoire est aussi la vôtre et qu'elle est celle de milliers d'autres femmes. Lorsque nous sommes prises à l'intérieur d'une situation difficile, nous avons l'ultime conviction d'être seules. J'ai voulu vous dire que vous ne l'êtes pas. Quelqu'un est là, avec vous. J'ai écrit ce livre avec beaucoup d'humilité afin que vous oziez vous choisir pour réussir et vivre pleinement VOTRE vie.

Ce sont des moments inspirés de ma vie durant ma séparation. Tout ce qui compose la réflexion avant, pendant et après celle-ci. Certains noms de personnes ont été modifiés par respect pour elles. Cependant, les émotions qui y sont décrites sont bel et bien les miennes dans toute leur authenticité. J'aime bien dire que c'est ma vision et ma compréhension de cette histoire. Dans chaque situation, il y a autant de vérité qu'il y a de personnes impliquées. Nous interprétons et vivons les événements de la vie selon notre perception. Cette histoire vous est racontée de mon point de vue en toute honnêteté, avec ma réalité de l'époque. J'ai rarement raconté cet épisode de ma vie, car je n'en voyais pas la nécessité. Pour moi, il s'agissait d'un épisode de vie comme un autre et je n'avais pas réellement pris conscience du chemin que j'avais parcouru et à quel point cette période douloureuse m'avait été si utile. Il m'aura fallu une rencontre avec la directrice d'un centre d'hébergement pour femmes et enfants violentés, pour lequel je voulais faire du bénévolat, pour réaliser tout ce que j'avais traversé, ce que j'avais accompli et à quel point mon expérience pouvait être utile.

Trop souvent, nous excusons l'autre pour toutes sortes de raisons et à n'importe quel prix: à cause de la fatigue, de l'horaire irrégulier, du stress, des problèmes financiers, *etc.* Aucune raison n'est valable lorsqu'il s'agit de manque de respect ou de toute forme de violence, que ce soit de la violence émotionnelle, de la violence psychologique, de la violence économique ou physique. Chaque être humain a le droit au respect.

C'est un droit qui vient à la naissance et même avant, parce qu'il s'agit du respect de l'âme. Je crois aussi que nous attirons à nous les personnes parfaites pour contribuer à notre évolution. Je sais que cela peut sembler difficile de croire ce que je viens de vous dire. Cependant, avec l'expérience et le recul, je comprends aujourd'hui que la relation difficile que je vivais alors était nécessaire pour moi, qu'elle a contribué à me faire grandir, qu'elle m'a appris à me tenir debout, à me respecter et à honorer la personne que je suis. Aussi, je sais maintenant que les gens qui sont dans notre vie ne sont que des acteurs, des facettes de nous-mêmes; je vous en reparlerai plus tard.

Selon moi, la vie, c'est un «work in progress». C'est comme le jardinage – j'adore jardiner, car ça me relie aux bienfaits de la terre et me recentre sur ma vie. Au début, quand il y a des mauvaises herbes partout, nous sommes souvent découragées et nous ne voyons que celles-ci. Il est parfois nécessaire de demander l'aide d'un jardinier accompli pour débuter les travaux. Et puis, avec l'aide de ce jardinier, nous débutons le sarclage et enlevons les plus grosses mauvaises herbes. C'est rassurant d'être accompagnée par quelqu'un qui a de l'expérience dans ce domaine. Il sait nous guider, il nous permet de croire que c'est possible, que l'on va y arriver. Et plus le travail avance, plus nous voyons le jardin se dessiner. Nous commençons à entrevoir des fleurs qui étaient enfouies sous la tonne de mauvaises herbes. C'est encourageant, ça fait renaitre l'espoir.

Enfin, un jour, le jardin est nettoyé et nous pouvons profiter des magnifiques fleurs et de leur délicat parfum. Vous savez, même un jardin bien nettoyé doit toujours être entretenu. C'est le travail d'une vie que de veiller à son jardin, de préserver sa beauté et de ne laisser personne venir abimer ses belles fleurs.

Puis, au fil des ans, nous en ajoutons des nouvelles, nous modifions certaines plates-bandes afin qu'elles s'harmonisent mieux avec nos nouveaux goûts, nos nouvelles découvertes. Nous en enlevons certaines qui ne donnent plus de fleurs, trop vieilles ou trop abimées par le mauvais temps. Rien ne nous oblige à conserver le jardin à son état d'origine. Il y a toujours place à l'amélioration afin de le rendre encore plus beau.

Ce livre, j'ai envie qu'il soit votre jardinier privé, qu'il vous accompagne dans votre démarche comme un ami, qu'il vous aide à traverser un moment plus difficile et qu'il vous fasse voir l'espoir des belles fleurs derrière les mauvaises herbes. Après la pluie, il y a toujours le beau temps et la pluie est nécessaire pour faire pousser les fleurs de votre jardin. Étrangement, quand il fait toujours beau, nous arrivons à ne plus apprécier le soleil et nous cherchons l'ombre.

L'être humain est ainsi fait, acceptons-le. Du moment où nous savons que le soleil reviendra, la vie est belle! Personne ici-bas n'a signé de contrat éternel avec le mauvais temps. Toute situation est temporaire et la seule chose qui soit garantie dans la vie, c'est le changement. Tout est toujours en mouvement, alors autant entrer dans la danse et suivre le mouvement, c'est beaucoup plus doux et plus simple que d'y résister.

J'espère semer en vous une graine qui un jour germera et s'épanouira comme une magnifique rose avec son parfum envoûtant. Ce sera la vôtre, la seule et l'unique. Parce que vous êtes unique et magnifique!

Avant de commencer votre lecture, j'aimerais vous dire de ne pas le faire à la hâte. J'aimerais aussi vous rappeler d'être indulgente et patiente envers vous-même. Prenez ces moments de lecture comme un cadeau que vous vous offrez. Il y aura peut-être certains passages qui vous demanderont du temps de réflexion, et c'est parfait. Allez-y doucement et avec plaisir. Pour le simple bonheur de vous faire du bien. Pour le simple bonheur de vous retrouver.

Chaleureusement,

Ariane

PREMIÈRE PARTIE

LE POINT DE DÉPART

Chapitre 1

Qui suis-je?

Je déambule avec une amie sur l'immense terrain magnifiquement gazonné, le soleil est bon et chaud, la douce brise transporte avec elle le parfum subtil des conifères qui bordent la délimitation du terrain et du champ de maïs qui sera bientôt plus haut que moi. Un début d'été qui s'annonce parfait où je pourrai profiter pleinement de mon grand terrain à la campagne, de mon jardin, des fleurs et des légumes. Nous échangeons sur tout et rien. Un bavardage de filles comme nous l'aimons, en toute simplicité. Vu de l'extérieur, tout pourrait paraitre parfait. Parfait partout sauf dans mon cœur où il y a une lourdeur, une pesanteur qui m'étouffe, me fait sentir toute petite et à l'étroit.

Une question qui résonne encore

Je ne suis pas très grande ni très corpulente, c'est vrai; cependant, cette sensation vient du fond de mon corps. Une lourdeur qui me pèse et m'écrase comme si je vivais avec une toile d'araignée qui m'enveloppait et me tenait à l'étroit. Comme une enfant qui traine son «doudou» partout, moi, j'apporte partout le poids de mon inconfort, de mon malaise, de mon mal-être. J'apprécie difficilement la beauté de ce qui m'entoure, trop préoccupée par le poids qui m'entrave. Depuis quelques mois, je sens la toile se rétrécir, rétrécissant moi-même avec elle, mes rêves, mes désirs et mes envies. C'est tout mon être que je sens se paralyser à l'intérieur, je respire difficilement la douceur de la brise.

Et Simone m'a demandé tout bonnement: «De quoi rêvais-tu quand tu étais petite?» Cette question, elle m'a frappée comme si je venais de recevoir un coup de pelle en plein front! Bang! Tout mon corps a été ébranlé, comme une onde de choc qui court des cheveux aux pieds, sans répit, pendant que les orbites de mes yeux tentaient de retrouver leur place. Mon système d'alarme venait d'être déclenché! Si quelqu'un a parlé pendant ce temps-là, je n'ai rien compris, c'est certain. Pendant que mes yeux cherchaient leur alignement respectif, on aurait dit que mes oreilles se sont fermées pour éviter les courants d'air. Un phénomène vraiment bizarre qui a eu tout un impact.

Quand j'ai repris vie, ou plutôt que j'ai repris conscience, c'est là que j'ai réalisé que j'étais complètement à côté de la «track». Et pas à peu près! Petite fille, je rêvais d'aller en Afrique pour éliminer la famine. Je pensais que j'étais comme le frère André, que je pouvais accomplir des miracles et que je réaliserais de GRANDES choses pour le bien de l'humanité. J'ai même pensé, à l'âge de dix ans, que je pouvais ressentir ce que Jésus avait ressenti sur la croix! Oui, oui, ma mère pourrait vous raconter tout un épisode sur cette croyance qui m'a empêchée de dormir pendant longtemps.

J'étais couchée dans mon lit, la lumière grande ouverte, avec des bas montés jusqu'aux genoux pour protéger mes pieds, faisant des crises à ne plus finir parce que j'avais peur de ressentir la douleur d'un crucifié pendant mon sommeil! Vous riez là, mais ce n'est pas une blague. Bon, j'avoue que l'image est un peu amusante, mais je peux vous garantir que je ne trouvais pas ça drôle du tout à l'époque. Finalement, j'ai cru que j'étais comme «superwoman», invincible et dotée de super pouvoirs magiques. J'avais définitivement un avenir prometteur. Ouf!

Après m'être remise de mon coup de pelle, j'ai dû faire face à ma réalité. J'étais une jeune femme de vingt-sept ans, mère de quatre enfants, qui avait abandonné ses études au collégial, abandonné un bon poste dans une institution bancaire pour le bien de sa famille et, aujourd'hui, je cultivais des tomates dans le fond de mon rang de campagne avec mes enfants. Dur constat... Premier pas...

LE MOT DE LA COACH

À partir du moment où nous prenons conscience de quelque chose, c'est là que tout commence. Le premier pas est fait. Par la suite, tout dépendra de ce que nous déciderons d'en faire. C'est le point de départ et c'est à nous d'être responsables de notre vie.

Par exemple, en prenant conscience que je suis à côté de mon plan de vie, j'ai deux options: je ferme les yeux et je continue comme si rien ne s'était passé ou bien je fais des choix pour améliorer et modifier ce qui ne me convient pas... ou plus.

C'est un peu comme lorsque nous entrons dans une pièce plongée dans l'obscurité et que nous ouvrons l'interrupteur. Par la suite, nous pouvons bien laisser la lumière fermée si nous le voulons, mais nous savons maintenant ce qu'il y a à l'intérieur de la pièce et, même la lumière éteinte, nous ne pouvons plus ignorer ce que nous avons vu dans la pièce.

- De quoi rêviez-vous quand vous étiez petite?
- Quels étaient les émissions de télévision ou les films que vous adoriez étant enfant?
- Qu'aimiez-vous spécifiquement dans ces émissions? L'humour, l'histoire, la famille, le courage du personnage, le romantisme, *etc.*

Est-ce que votre vie en ce moment ressemble à cela ou êtes-vous complètement à côté de votre rêve d'enfance? Ah! je sais, je vous entends penser! «C'est beau tout ça, mais ce n'était qu'un rêve d'enfant, tout le monde sait très bien que ce n'est pas ça, la vraie vie!» Croyez-vous vraiment? Je voudrais bien savoir qui a dit cela. Et si c'était comme ça, la vie, aussi simple et aussi belle qu'un rêve d'enfant. Quand vous étiez enfant, vous ne faisiez pas des choix pour plaire aux autres ou à vos parents. Vous *faisiez des choix par amour pour vous.* Vous ne faisiez pas des choix parce que ça rapporterait un gros salaire ou de la notoriété, vous *le faisiez parce que vous aimiez cela.* Vous le faisiez parce que c'était votre essence, c'était *votre vraie personnalité qui faisait ces choix.*

Aujourd'hui, la plupart des gens font des choix en fonction d'une utilité: pour faire plaisir, pour être aimé, accepté, idolâtré, pour avoir de la crédibilité, *etc.* Ce sont tous des trucs de grands. Je devrais plutôt dire des trucs d'adultes, parce que les petits sont parfois plus grands que les grands. Et, trop souvent, les adultes portent des masques pour toutes sortes de raisons, bonnes ou mauvaises. Au fil des ans, nous nous construisons un personnage et nous perdons notre liberté à défendre cette image. Et pour le bien de qui? C'est légitime, mais ça ne nous rend pas nécessairement heureux. Bien au contraire, nous perdons la liberté d'être qui nous sommes vraiment.

Quand on est petits et qu'on décide de partir à l'aventure, comme de faire la chasse aux papillons, on prépare tout notre matériel avec passion et enthousiasme: le filet, une gourde d'eau, des bottes, la casquette. On se fait une carte au trésor et on dessine toutes les roches, les arbres et même le gazon. C'est une vraie expédition. Attention! C'est du sérieux! Et on part à l'aventure avec des amis qu'on aime, même s'ils sont énervés, bougons, plus petits ou plus grands que nous. On s'en fout! On les aime comme ils sont. On se querelle et, le lendemain, c'est réglé. Le but est de vivre une expérience dans le plaisir avec des gens qu'on apprécie. On ne se soucie pas de ce que les autres vont penser. On fait ce que l'on a le goût de faire! Résultat: du bonheur garanti. On choisit d'être HEUREUX! Oui, oui, vous avez bien lu! Le Dalaï Lama vous dirait que le bonheur, c'est un état d'esprit! Un état d'esprit, ça se choisit, pas toujours consciemment, bien sûr, mais c'est un choix.

Voici une petite formule que j'ai lue un jour dans un livre et qui fait plein de sens à mes yeux: «Dans notre société, nous voulons *avoir* de l'argent pour *faire* ce que l'on aime en espérant que nous allons *être* heureux.»

En fait, la formule fonctionne dans l'autre sens:

ÊTRE pleinement soi nous permet de FAIRE les bons choix afin d'AVOIR ce que l'on désire. Ainsi, nous sommes toujours heureux.

- Qu'est-ce qui vous empêche de faire ce choix aujourd'hui, dans votre vie?
- Quels masques auriez-vous besoin de laisser tomber pour être plus heureuse?
- Comment cela modifierait-il votre expérience de vie de laisser tomber ce ou ces masques?
- Qu'est-ce que cela rendrait possible?

Petite histoire...

Un vieil homme arrive à sa nouvelle maison d'hébergement. La jeune préposée l'accueille avec un beau sourire.

– Bonjour, monsieur Bienheureux, heureuse de faire votre connaissance. Venez avec moi, je vais vous faire visiter votre chambre.

Le vieil homme de lui répondre:

– Bonjour, jeune dame, je la trouve très jolie, ma nouvelle chambre!

– Mais, monsieur, vous ne l'avez pas encore vue?

– Je sais, mais je l'aime déjà!

La jeune fille trouva le vieillard un peu bizarre et elle se dit que c'était sûrement l'âge. Ils prirent l'ascenseur et l'employée appuya sur le bouton du quatrième étage.

– Elle est vraiment jolie, ma chambre, dit le vieil homme une autre fois. Je suis certain que je serai très heureux ici.

– Mais, monsieur, vous ne l'avez pas encore vue, votre chambre, comment pouvez-vous affirmer qu'elle est jolie?

– Parce que j'en ai décidé ainsi, ma chère. J'ai choisi que je serai heureux ici et que ma chambre sera jolie. Peu importe comment elle sera, je la trouverai jolie.

Petite anecdote...

J'ai attendu beaucoup trop longtemps pour écrire un livre et je peux vous affirmer que ce ne sera pas le dernier. Pourquoi? Parce que, lorsque j'écris, je le fais avec tout mon cœur, et mes doigts courent sur le clavier. Parfois, ils ne vont pas assez vite pour tout ce qu'il y a dans ma tête. Qu'est-ce qui fait que j'ai attendu si longtemps? Je n'étais pas bonne en orthographe ni en grammaire! Pourtant, à l'école secondaire, j'adorais quand le travail de français consistait à écrire un texte de cinq pages, et cela ne me causait aucun souci.

J'aimais laisser libre cours à ma créativité. Mon texte était certes rempli de fautes et j'avais droit chaque fois à une note passable, voire médiocre. J'ai donc mis l'écriture de côté. J'écrivais pour moi des écrits que personne ne lisait. Les mauvaises notes avaient tué ma créativité et mon envie d'écrire. Il n'y a pas de note attribuée à la créativité en français, dommage, car beaucoup plus de jeunes trouveraient du plaisir à le faire. Puis, un jour, un ami m'a demandé d'écrire un article pour son site Web «Moment présent». Emballée par l'idée, j'en ai rédigé un puis je l'ai envoyé à ma sœur qui est conseillère pédagogique en français. Et voilà, le tour était joué. Il y a des experts pour nous soutenir.

Écoutez votre cœur, vos désirs les plus profonds et si vous avez besoin d'aide, eh bien, il y a plein d'experts qui ne demandent qu'à vous aider.

Chapitre 2

Où suis-je?

Cela fait déjà trop d'années que je vis sous cette toile d'araignée, ce nuage gris qui me pèse lourd et qui me suit partout dans les soupers entre amis, à l'épicerie et même dans mon lit. Il m'embrouille la vue comme un brouillard épais qui aurait élu domicile dans ma vie. Il trouble mes idées, me ralentit dans mes projets, tuant l'espoir du bonheur un peu plus chaque jour. Ce brouillard est si omniprésent que je vois à peine ce qui m'entoure. Ai-je encore des amis? Ai-je encore une vie?

Ma vision réduite me permet de voir uniquement ce qui est à proximité, mes enfants. Heureusement qu'ils sont là. Je garde la tête baissée. Ainsi je peux sans cesse les regarder, les admirer et parfois même rigoler. De cette façon, j'arrive à oublier que tout autour de moi, plus rien ne me ressemble. Certains jours, je n'arrive même plus à trouver dans mon brouillard mes capacités. Pourtant, au creux de mon âme, je sais que je suis pleine de force, de fougue, de positif, de confiance, d'amour et d'humour.

Dans ma tête, j'ai souvent l'impression que mes pensées jouent au ralenti comme un vieux quarante-cinq tours qu'on ferait jouer à vitesse réduite. Les mots s'étirent d'une voix grave et lente en déformant leurs origines. J'essaie de décoder le message. Rien à faire, je n'en comprends pas le sens. Il a sûrement été égratigné, car mon quarante-cinq tours rejoue souvent les mêmes lignes, en loupe, de répétition en répétition, un vrai somnifère pour hyperactif. Difficile de savoir où j'en suis.

Si seulement quelqu'un pouvait m'aider. Si quelqu'un pouvait me dire quelle direction prendre. Est-ce que quelqu'un m'entend? Grand-maman, toi qui es en haut, aide-moi. Je ne sais plus où aller, quoi faire, quoi dire. Et quand je veux dire ce que je pense, je réfléchis bien avant de parler. Je me pratique dans ma tête, je repasse le scénario plusieurs fois, j'anticipe les questions, les remarques ou tout autre détail qui pourrait m'éviter une dispute, car je ne sais jamais sur quel jour je vais tomber.

Mais je suis devenue une spécialiste du décodage de l'énergie et du non-verbal. Si je sens que ce n'est pas une bonne journée, je ne dis rien. Peut-être que demain, ce sera mieux. Si c'en est une bonne, c'est génial, tout s'arrange... pour quelques jours, voire quelques semaines. La vie reprend son cours, l'ambiance retrouve son aspect agréable... puis ça recommence. Mon malaise revient et je prends le risque d'en parler de nouveau.

Du coup, c'est ma faute! Je suis sûrement trop exigeante, jamais satisfaite, je ne dois pas avoir le bonheur facile. Je suis sûrement une femme inassouvie. Je savais bien que j'y étais pour quelque chose. Comment ai-je pu croire que ce mal-être pouvait provenir de facteurs extérieurs? Naïve que je suis!

MOT DE LA COACH

Quand nous avons l'impression que tout s'écroule, que n'avons plus de porte de sortie et que nous avons de la difficulté à voir clair dans nos émotions, il est grand temps de grimper aux arbres! C'est bien souvent beaucoup plus simple que nous le croyons, car nous sommes tellement collées sur notre situation que nous ne voyons plus quel chemin prendre. C'est comme être en forêt et avoir l'impression que tous les chemins et tous les arbres sont pareils. On ne s'y retrouve plus. On tourne en rond, on se fatigue et plus la fatigue augmente, plus l'issue nous semble impossible. C'est en réalité notre perception des choses qui est embrouillée. C'est pourquoi il est important de changer cette perception, de regarder la situation sous un autre angle.

Voici un petit exercice très simple qui vous donnera une nouvelle vision des choses.

Faire de l'arbre en arbre

D'abord, écrivez sur des bouts de papier les événements marquants qui vous tracassent. Prenez le temps de les écrire suffisamment gros afin de les voir clairement.

Ensuite, installez les bouts de papier par terre en ordre chronologique ou pas.

Maintenant, montez sur une chaise ou même sur la table si vous vous sentez assez en sécurité pour le faire. Soyez prudente! Puis, lisez ce que vous avez écrit.

Bien souvent, le seul fait de prendre du recul nous permet de voir plus clair dans notre vie et d'avoir un regard nouveau sur les événements. Cela permet également d'avoir un regard plus large, aussi plus global, au lieu de porter notre attention sur un détail. Nous pouvons voir l'ensemble de l'histoire et mieux la comprendre. Cette distance physique a un effet psychologique sur notre façon de voir les choses et nous permet aussi un détachement émotif.

Que constatez-vous?

Chapitre 3

Est-ce que j'existe encore?

Je ne suis définitivement pas née pour être une femme à la maison! J'ai besoin de me sentir utile, de sentir que je contribue à quelque chose. Je sais, je suis utile à mes enfants, mais bon, vous me comprenez. La reconnaissance, quand nous sommes vingt-quatre heures sur vingt-quatre avec des enfants, elle se pointe rarement le bout du nez. Ça ressemble plus à un acquis. Comme un vieux meuble dans la maison, on passe à côté et on ne le voit même plus. Du moins, c'est ainsi que je me sens. «C'est normal, ce sont tes enfants!» Je ne suis plus capable d'entendre cette phrase, ça me donne mal au cœur.

Des conversations d'adultes, je n'en ai plus vraiment. Je suis plongée dans les profondeurs du *gougou, gaga, pipi, caca*. D'autres fois, c'est l'univers du vomi qui remporte la palme. Parfois, c'est le royaume des couches et des biberons. Comme si j'avais fait une grosse fête, il y a des bouteilles qui trainent partout. Mes cheveux bouclés et ébouriffés ne savent plus dans quelle direction aller, comme si j'avais mis le doigt dans une prise de courant. Mes yeux noircis par la fatigue me donnent des airs de raton laveur et ma queue de chemise est devenue une prise parfaite pour les bébés ratons qui me tournent autour. J'ai une élégance digne d'un bal des mal-aimées.

Quand je me regarde dans le miroir, je ne me trouve pas belle, même si on me dit souvent que je le suis. Je ne crois pas les gens. Quand je vois mon reflet, je me demande toujours ce que les autres me trouvent. Je ne comprends pas qu'ils me fassent des compliments, parce que, moi, je me trouve bien ordinaire. Même très ordinaire. En plus, avec les accouchements, mon corps a été marqué et transformé. J'ai perdu beaucoup de poids et je n'aime pas ça. Je ne suis pas bien dans mon corps. J'ai l'impression que ce n'est plus le mien. Je n'ai plus de seins, ils sont rendus microscopiques.

On voit les os de mon bassin et de ma cage thoracique et je trouve ça dégoutant. Je suis peut-être malade? J'ai des vergetures sur mon ventre, je trouve ça laid. Je ne me reconnais plus. Je n'aime pas ce que je suis devenue. Les traits de mon visage sont tirés par la fatigue de nuits sans sommeil et par des préoccupations de la vie. La tristesse se lit dans mes yeux et chaque fois que je croise un miroir, c'est elle qui me salue. Je ne m'aime plus. Je ne me reconnais plus.

La ressemblance avec ma mère me frappe. Elle qui s'est battue toute sa vie pour atteindre quarante-cinq kilos. C'était la fiesta à la maison quand elle atteignait, «boostée» à la vitamine B12, quarante-six kilos. J'ai toujours eu horreur de la maigreur. Je ne sais pas d'où ça vient. Pourtant, j'ai un bon appétit, un gros même, et je ne veux surtout pas être maigre comme maman. Maman n'est pas de la génération des femmes qui ont appris à prendre soin d'elles. Je ne me souviens pas l'avoir entendue dire qu'elle avait un rendez-vous chez l'esthéticienne ou qu'elle partait magasiner pour la journée. Elle nous priorisait, elle passait en dernier et, bien souvent, il ne restait plus rien pour elle. Je crois qu'une bonne mère, c'est quelqu'un qui s'oublie. Je crois que prendre soin de moi est un luxe superflu. Je crois que les enfants doivent impérativement passer en premier et, moi, en dernier.

Comme c'est mon conjoint qui rapporte le salaire pour la famille, je ne sens pas que j'ai ma place dans les prises de décision. Je pense encore moins demander de l'argent pour m'habiller. Quelle honte je peux ressentir quand je dois tendre la main pour qu'il me donne 10 $. L'horreur! Moi qui pensais être une femme de carrière, je suis bien loin de tout ça! Je ressens un tel malaise face à l'argent, surtout que, chaque fois que nous avons une discussion sur le sujet, la guerre éclate. Ça finit presque toujours en chicane et je finis par penser que je suis égoïste et exigeante, comme il sait si bien me le rappeler. Peut-être que c'est vrai, qu'il a raison.

Après tout, c'est lui qui gagne l'argent pour tout le monde. Moi, je ne fais qu'élever, éduquer et aimer nos enfants. Je ne fais qu'entretenir la maison, je ne fais que le lavage, le ménage et les repas. Je me plains sûrement pour rien. Ça me rappelle un moment pathétique où j'étais allée à la pharmacie pour m'acheter un mascara. Étant donné que je croyais que prendre soin de moi était un luxe, je considérais que mon achat en était un aussi. Et comme le sujet de l'argent est une source de conflit entre nous, je ne voulais pas avoir à justifier et expliquer ma dépense puisque je me sentais coupable de l'avoir faite.

Je ne suis pas confortable avec l'idée de dépenser de l'argent pour moi si je n'en ai pas dépensé pour les enfants. Je crois aussi que ce petit achat risque de déclencher un tsunami. Je le crois puisque j'ai des expériences qui me prouvent que c'est la vérité, ma vérité. J'avais alors déballé le tout, jeté l'emballage et remplacé mon mascara dans mon sac comme si rien n'était. Ni vu ni connu. Incroyable comment la peur engendrée par nos croyances peut nous faire agir. Comme un enfant qui trame un mauvais coup et qui a peur de se faire chicaner. Parce qu'il s'est fait disputer auparavant, il croit qu'il se fera disputer de nouveau.

Mais où est passée la fille déterminée, la petite fille qui avait du caractère et qui faisait sa place au soleil, celle qui avait du «guts» et semblait n'avoir peur de rien?

Allô! il y a quelqu'un? Est-ce un corps inhabité? Youhou! Quelqu'un veut bien me répondre? J'entends l'écho du vide... Qui suis-je? Où suis-je? Je ne me reconnais plus. Est-ce que j'existe encore?

Mot de la coach

L'éducation que nous avons reçue de nos parents, de nos enseignants ou de toutes nos personnes significatives nous a permis de forger nos croyances. Elles sont basées sur les modèles que nous avons eus. Elles nous proviennent de phrases que nous avons entendues à maintes reprises ou encore d'expériences que nous avons ensuite validées et confirmées par d'autres expériences similaires.

Par exemple, un enfant d'âge préscolaire fait un dessin multicolore à la maison. Fier de son œuvre, il court le montrer à papa. Son père le regarde et lui dit: «Mais les arbres ne sont pas violets! C'est vert avec un tronc brun.» L'enfant en déduit qu'il n'a pas fait la bonne chose. Arrivé à l'école, l'enseignante d'arts plastiques demande aux élèves de faire un magnifique dessin d'un paysage et de laisser place à la créativité. L'enfant, se rappelant son expérience à la maison, fera sûrement un dessin avec les bonnes couleurs aux bons endroits.

Tout heureux d'avoir accompli la «bonne» chose, il le montre à son enseignante qui lui dit: «Tu n'as pas été très créatif, tu as tout fait comme dans la réalité.» L'enfant en conclura qu'il n'est pas bon en arts plastiques. Il cessera probablement de s'intéresser aux arts et sera convaincu qu'il n'est pas doué dans ce domaine. Ce qui est totalement faux. Ce n'est qu'une croyance adoptée à la suite de certaines expériences et commentaires venant de personnes significatives. Le plus triste, c'est que cet enfant ne démontrera plus d'intérêt pour ce domaine ou, du moins, il ne cherchera pas à le pratiquer puisqu'il sera convaincu que ce n'est pas son affaire.

❧

Exercice

Mise à jour des croyances

- Quelles sont les croyances que vous avez entretenues de votre enfance à votre vie adulte?

  Je crois que…

- Est-ce que certaines croyances vous empêchent de faire des choix, d'avancer? Si oui, lesquelles?
- Pour chacune des croyances énumérées, à qui appartiennent-elles, selon vous?
- Est-ce que vous pourriez faire une mise à jour parmi certaines d'entre elles?
- Questionnez-les un peu.

Par exemple: *Je crois qu'il faut travailler dur pour réussir dans la vie.*

- En êtes-vous vraiment certaine?
- Qui a dit cela?
- À quoi cela vous sert-il d'y croire?

- Y a-t-il des gens autour de vous qui ne travaillent pas dur et qui réussissent?
- Qui?
- Selon vous, que croit cette personne?
- Si vous croyiez la même chose, qu'est-ce que cela rendrait possible?

Chapitre 4

D'où est-ce que je viens?

Nous sommes assis dans la cuisine, elle est microscopique. C'est mon premier appartement. Nous avions un critère commun: pas de corridor! Je déteste ces appartements construits en longueur avec un long corridor sombre et toutes les pièces du même côté. J'avais connu cela quelques années auparavant lorsque j'avais habité à l'appartement de ma sœur ainée, rue Rushbrooke à Verdun. J'avais adoré vivre à Verdun mais j'avais détesté le corridor. Je ne sais pas d'où ça me vient. Bref, notre appartement n'a pas de corridor!

C'est un octogone au centre de l'appartement et les quatre pièces s'y rattachent. J'aime bien ce petit appartement. J'y ai d'ailleurs attendu mon premier enfant, un beau garçon tout blond avec de magnifiques grands yeux bleus. J'y ai aussi perdu ma grand-mère paternelle. Ce fut un choc terrible pour moi. Elle était une figure très significative et je l'adorais. Je n'ai que vingt et un ans. Je suis encore une enfant, cependant, je crois sincèrement que je suis une adulte.

J'ai appris très jeune à être responsable. Alors, pour moi, c'est tout à fait normal d'attendre mon premier enfant à l'âge de vingt et un ans. De plus, c'est comme si je venais de gagner à la loterie. Lorsque j'avais dix-neuf ans, j'ai subi une laparoscopie à la suite de maux de ventre douloureux et interminables et le médecin m'a dit que je n'aurais jamais d'enfant. Alors vous comprenez que mon bonheur est incommensurable.

Un jour que nous sommes assis dans notre minicuisine, lui, côté cuisinière et moi, côté laveuse, il me demande: «Me donnerais-tu les ciseaux?» Et moi, je me lève sans dire un mot, je fais le tour de la table pour ouvrir le tiroir du buffet derrière lui et je lui donne les ciseaux. Au même moment je suis frappée par une image incroyable. Je vois ma mère à ma place! Quelle claque au visage! Moi qui lui ai reproché toute mon adolescence de servir mon père sans rien dire. Et là, c'est moi qui reproduis la même chose. *J'apprendrai plus tard que ce que l'on reproche à nos parents, nous le reproduisons dans nos vies.*

Je viens d'une famille unie. Nous visitions mes grands-parents paternels tous les dimanches. Les valeurs familiales sont pour moi primordiales. On m'a dit toute mon enfance que la famille est toujours là pour nous, que c'est important d'en prendre soin.

J'ai été élevée avec des valeurs catholiques, même si mes parents n'étaient pas très pratiquants. Toute petite, j'allais à la messe assez souvent avec mon grand-père paternel. J'adorais mes grands-parents paternels, je me sentais très proche d'eux.

J'ai vu ma mère toute mon enfance servir mon père, mes deux sœurs et moi-même. Je l'ai vue s'oublier et se choisir en dernier. Trop souvent, elle n'arrivait même pas à se choisir. C'était pourtant pour moi le modèle d'une bonne mère. Je vous parle de mon enfance parce qu'elle aura un impact important dans ma vie. J'en suis aux premiers balbutiements de ma relation amoureuse et, déjà, je vais pleurer plusieurs fois chez ma mère parce que je ne suis pas heureuse. Je ne sais pas pourquoi. Je ne comprends pas pourquoi.

Une petite voix à l'intérieur de moi est toujours triste, même quand je vis des moments de bonheur. Je sais, c'est paradoxal. Je ne peux l'expliquer mais c'est comme ça. À chaque fois, ma mère me console et me dit que la vie à deux, ce n'est pas toujours facile, qu'il faut mettre de l'eau dans son vin. Quelques années plus tard, lorsque j'aurai développé mes papilles pour les bons crus, je comprendrai que de l'eau dans le vin, ce n'est pas bon du tout. Je préfère les bons mariages. Je ne veux pas être comme ça! Je ne veux pas m'oublier et être seulement une mère au foyer. Je ne veux pas mettre de l'eau dans mon vin. Je me rebute contre ça, je crie à l'injustice, à l'inégalité et à la désuétude de toutes ces vieilles mentalités *dinausoriennes.* Je prône la liberté de la femme, l'équité et l'autonomie, mais je suis tout le contraire. Je le réaliserai bien des années plus tard.

Je suis exactement comme ma mère. Je suis maman très jeune, je sacrifie ma carrière pour le bien de la famille, je ne saisis aucune opportunité d'affaires pour le bien de la famille, je ne prends pas soin de moi et je me choisis en dernier. AU NOM DE LA FAMILLE! Je me fais une bonne conscience. De cette façon, je suis une bonne mère… comme maman.

MOT DE LA COACH

Ce qui n'est pas réglé avec nos parents sert de levier pour forger toutes nos relations futures. Ce que nous reprochons à nos parents, nous le ramenons dans nos vies ou, encore, nous reproduisons le même comportement de façon inconsciente. Nous choisissons bien souvent un partenaire de vie qui aura des similitudes avec notre père. Nous adoptons des comportements de notre mère que nous jugions et ainsi de suite, comme si la vie nous donnait une deuxième chance de régler enfin ces situations.

Cependant, il est impossible de régler ces problématiques avec notre conjoint, puisque nous ne serons jamais l'enfant de notre conjoint et, lui, jamais notre parent. C'est vers nos parents que nous devons nous tourner. Les accepter tels quels, sans jugement et sans critique. Leur accorder une place dans notre cœur pour la vie qu'ils nous ont donnée. Prendre ce qu'ils avaient à nous offrir, même lorsque c'était très peu.

Ils ne pouvaient pas nous donner ce qu'ils ne possédaient pas. Ils ont fait au mieux de leurs connaissances avec les outils et l'éducation qu'ils ont reçus. Si votre enfance a été très difficile, je tiens à préciser qu'honorer ses parents pour la vie qu'ils vous ont donnée ne veut pas dire les aimer. Cela veut simplement dire de reconnaitre, sincèrement dans votre cœur que, sans eux, vous ne seriez pas en train de lire ces lignes. Vous ne seriez pas ici. Vous existez grâce à eux. Merci!

Exercice

- Décrivez votre mère en quelques mots. De quoi l'accusez-vous?
- Décrivez votre père en quelques mots. De quoi l'accusez-vous?
- Quelles constatations faites-vous?
- Quelles similitudes remarquez-vous dans vos relations?

DEUXIÈME PARTIE

LE POINT DE MATCH

Chapitre 5

Les échanges

«TU AS INTÉRÊT À REVENIR DE BONNE HEURE, J'AI AFFAIRE À TE parler!» Le cœur lourd et rempli de colère, je prends mon manteau et je sors de la maison. Je me sens accablée comme si les poches de mon manteau étaient remplies de cailloux. J'ai pris cinq kilos en deux minutes. Je m'installe derrière le volant, démarre ma voiture et prends la route. C'est ma sortie mensuelle. Je vais rejoindre ma sœur ainée pour notre représentation des *Grands Explorateurs*. Je devrais être heureuse et excitée de cette sortie, mais je me sens comme une enfant qui vient de se faire gronder par son père. La culpabilité monte et envahit bientôt tout mon corps. Cette merdique culpabilité qui revient toujours.

N'y aurait-il pas un moyen de la jeter par-dessus bord pendant que je roule? Je ne suis pas du tout concentrée sur la route, j'ai juste les mots qui résonnent et repassent en boucle dans ma tête. Je me raisonne: «Non mais, sans blague, je ne sors jamais, une fois par mois, et en plus pour *Les Grands Explorateurs*! Non mais, pour qui se prend-il? J'ai bien le droit d'avoir une sortie. Avec ma sœur en plus. Je suis toujours à la maison avec les enfants. Je ne m'habille pas, je ne sors pas, je ne bois pas. J'ai bien droit à cette sortie. Bon, c'est vrai, je donne des cours de peinture le soir qui prennent du temps sur la famille et il doit s'occuper seul des enfants pendant ce temps-là. C'est vrai que ce n'est pas évident pour lui. Je suis peut-être exigeante, peut-être que je lui en demande beaucoup. Après tout, c'est lui qui fait vivre la famille. Mes cours ne rapportent pas des millions, à peine de quoi gâter les enfants et se payer des vacances de camping en famille.»

Ah! je ne vous ai pas dit que j'ai eu un deuxième garçon tout brun, les yeux comme les cheveux, l'opposé du premier. Puis, une magnifique fille, une vraie princesse. À sa naissance, elle avait l'air d'une poupée de porcelaine. J'ai vraiment une relation particulière avec elle. Quand je la berce le soir, il y a un courant qui passe entre nous, c'est magique. C'est comme si, quand je la prends dans mes bras, mon corps entier se rechargeait comme dans le film *La belle verte*. C'est vraiment un excellent film français. Ah! mes enfants, je les aime tant! Ils me font du bien, tellement de bien.

J'ai beau me parler pour me raisonner, ça reste des mots dans ma tête. Dans mon corps, c'est encore le chaos. Le scénario se répète sans cesse et plus ses paroles résonnent, plus mon sentiment de culpabilité augmente. Comment arrive-t-il à faire ça? Ce n'est pas croyable! J'ai vingt-six ans, je ne suis plus une enfant. Un père, j'en ai déjà un et il ne m'a jamais parlé comme ça. Je ne comprends plus rien. Mon cellulaire sonne. *Ah*, que je me dis, *il réalise que ça ne fait aucun sens*.

– Allô!

– *Ouin*, on s'est bien compris, ne reviens pas tard, j'ai affaire à te parler!

Je raccroche sans écouter la suite, remplie de rage. Je lance le téléphone sur la banquette arrière. Ma rage prend le dessus sur ma culpabilité, du moins pour un moment. Ils se font la guerre à l'intérieur de moi pour savoir lequel des deux va remporter le combat. J'en ai mal au cœur. J'ai envie de crier, non, de hurler. Ça fait tellement mal en dedans. On dirait que je vais exploser. J'ai chaud, mon cœur bat vite, mes mains tremblent sur le volant, j'accélère sans m'en rendre compte. Affaire à me parler, affaire à me parler. Me parler de quoi? Que je sors trop souvent? Une fois par mois, tu parles! Que je ne suis pas là le soir pour les enfants? Je travaille, moi aussi, monsieur!

Toi, quand tu travailles le jour et que je suis seule à la maison, est-ce qu'il y a quelqu'un qui se pose des questions? NON, bien sûr que non, parce que ça, c'est normal! C'est normal que madame soit là pour ses enfants et qu'elle n'ait plus de vie, plus d'amies, plus d'activités, plus de plaisir, juste des responsabilités. La belle affaire! Soudainement... *STOP! Ça suffit, arrête!* que je me dis ou que je me crie, je ne sais plus. *Tu es en train de t'engueuler avec toi-même. Tu te construis un scénario d'horreur entre la Rive-sud et Montréal. Un scénario qui n'arrivera jamais parce que tu n'es même pas capable de lui dire ça en pleine face!* Déception envers moi-même. Déception amère et dégoût de ce que je constate. Dégoût répugnant comme si je venais de sentir un tas de vomi. Surplus d'eau au goût acide dans ma bouche qui fait la moue. Beurk!

Quand ma colère s'estompe, ma culpabilité reprend le dessus et la tristesse s'installe. Je suis déçue de moi, déçue de ne pas avoir la force et le courage de dire mes sentiments et de ne pas être capable de me tenir debout devant lui. Je me vois comme une perdante. Je me sens vraiment comme une enfant de cinq ans. Au fond, il a raison. Je suis exigeante, pas très présente et, en plus, je suis même incapable de dire ce que je pense et comment je me sens.

Allez, va te changer les idées avec ta conférence, tu seras dans ta bulle de rêve pendant au moins les cinquante prochaines minutes.

Mot de la coach

La manipulation est un phénomène étrange. Elle nous pénètre par les pores de notre peau comme un poison toxique et en affecte notre jugement. Nous prenons tout sur nous et nous croyons que nous sommes les seules coupables et les seules responsables. Je dis souvent: « Pour que quelqu'un s'essuie les pieds sur nous, il faut d'abord nous coucher pour faire le tapis. » Quand nous avons le courage de nous tenir debout, rien ni personne ne peut nous piler dessus. Cette force et ce courage, chacun d'entre nous les possède.

Vous avez eu des moments dans votre vie où vous avez dû être forte et courageuse. Elle est déjà en vous, cette force. Souvent, elle est seulement enfouie parce que plusieurs événements sont venus l'enterrer. Cependant, elle est toujours là. Il suffit de lui faire de l'espace.

Pour trouver notre force et notre courage, il faut en premier lieu se respecter soi-même. Pour cela, il faut connaitre nos limites et pour connaitre nos limites, on doit connaitre nos valeurs. Comment pouvons-nous nous faire respecter si nous ne connaissons pas nos valeurs fondamentales?

Je vous propose un exercice de John P. Strelecky, que vous retrouverez dans le livre *Riche et heureux*, qui vous permettra de trouver vos valeurs et de déterminer quelles sont les plus importantes pour vous.

Voici un tableau dans lequel se trouve une liste de valeurs. Choisissez celles qui résonnent en vous le plus fort et encerclez-les.

Amour	Discipline	Persévérance
Authenticité	Diversité	Plaisir
Aventure	Engagement	Positivisme
Beauté	Excellence	Pouvoir
Bonheur	Gentillesse	Prudence
Communauté	Gratitude	Reconnaissance
Confiance	Honnêteté	Respect
Confort	Humilité	Richesse
Connaissance	Humour	Santé
Connexion	Intégrité	Sécurité
Conscience	Justice	Service
Contrôle de soi	Leadership	Sincérité
Courage	Liberté	Spiritualité
Créativité	Ouverture	Stabilité
Croissance	Paix	Sagesse
Clarté	Passion	Unité
Contribution	Partage	Unicité

Ensuite, révisez votre liste et faites un deuxième tri afin qu'il ne vous en reste que huit.

Reportez ces huit valeurs dans la grille prévue à cet effet, à la page suivante. Cela ne veut pas dire que les autres n'ont pas d'importance. Simplement que le but de l'exercice est de relever les cinq plus grandes, votre *top 5*. Vous comprendrez bientôt pourquoi.

	Valeur	Ordre d'importance							Total	
1		1	1	1	1	1	1	1		
		2	3	4	5	6	7	8		
2		2	2	2	2	2	2			
		3	4	5	6	7	8			
3		3	3	3	3	3				
		4	5	6	7	8				
4		4	4	4	4					
		5	6	7	8					
5		5	5	5						
		6	7	8						
6		6	6							
		7	8							
7		7								
		8								
8										

Maintenant, pour chacune d'entre elles, questionnez-vous.

- Laquelle entre la première et la deuxième valeur est plus importante pour moi?
- Encerclez le numéro 1 ou 2.

Et vous recommencez le processus.

- Laquelle entre la première et la troisième.

- Et ainsi de suite jusqu'à la fin du tableau.

Quand vous aurez terminé de faire la dichotomie de vos valeurs, comptez le nombre de fois où vous avez encerclé le numéro correspondant à la valeur et écrivez le nombre dans le premier carré du total au bout de la rangée.

Dans la deuxième colonne du total, vous pourrez les mettre en ordre en reconnaissant votre valeur la plus importante. Il est possible que vous en ayez deux à égalité, et c'est correct.

Maintenant que vous connaissez vos cinq plus grandes valeurs, il vous sera plus facile de les faire respecter. De plus, cela vous permettra de comprendre pourquoi vous réagissez aussi fortement ou pourquoi cela vous fait si mal quand un événement arrive. Il y a une forte probabilité que l'une de vos valeurs fondamentales ait été transgressée.

Dans l'exemple précédent, le respect de ma personne était brimé. Comme le respect est dans mon *top 5*, même si je ne comprends pas dans ma tête et que je n'en suis pas encore consciente, mon corps me dit qu'il y a quelque chose d'important qui n'est pas écouté, pas compris.

«Nous récoltons des autres le respect
que nous avons de nous-mêmes.»

– Ariane Laberge

Chapitre 6

La mise en échec

Je monte et je descends les escaliers sans arrêt à toute vitesse. Non, je ne suis pas en train de m'entrainer. Je ne sais plus quoi faire ni où aller. En haut, non en bas, non en haut, ah non, en bas. Je ne sais plus où est ma place. Je me cherche et, lui aussi, j'ai l'impression qu'il me cherche. Je monte, j'entre dans ma chambre, je suis à bout de nerfs. Ça y est! Cette fois, je vais exploser pour vrai. Ça bout tellement fort à l'intérieur de mon petit corps menu. Jamais je n'aurais pensé qu'il pouvait contenir autant d'émotions.

Cependant, je les retiens, je les garde toutes pour moi. Personne ne verra quoi que ce soit. De quoi j'aurais l'air? Une faible? Pas question! Aux yeux des gens, nous sommes la belle petite famille idéale! Vraiment? Alors, venez vivre chez moi durant une semaine, simplement pour constater. Vous verrez que ce n'est pas toujours mignon et idéal. De toute façon, je ne les vois plus, mes amies. Elles n'ont pas encore d'enfants, alors je suis bien la seule folle de mon espèce à avoir quatre enfants à vingt-huit ans.

Ah, vous ne savez pas que j'ai eu un autre garçon? C'est trop drôle, il est presque rouquin et a les yeux verts. C'est incroyable tout de même. Faits avec la même semence, incubés dans le même moule et tous différents. Mon plus vieux est blond aux yeux bleus, le deuxième brun foncé presque noir et les yeux noisette, ma fille a les cheveux brun pâle et les yeux presque noirs et le petit dernier, avec des yeux verts et des cheveux châtain roux. C'est une vieille âme, cet enfant. Quand il me regarde, son regard descend profond en moi. J'ai l'impression que l'on se connait depuis longtemps. Mes enfants sont la huitième merveille du monde. Ils m'apportent tellement. Je vous l'ai déjà dit, je sais. Je sais aussi que vous me comprenez. C'est toute ma vie, ces petits êtres là. Ils me remplissent d'amour et c'est la plus belle chose qui me soit arrivée. C'est grâce à eux si je continue. Si je reste là.

Je reste là… Non, non, je ne peux plus rester là ! Je mets des vêtements dans un sac, rapidement, je vais aller où, je ne sais pas. Ça déboule vite dans ma tête. Il entre dans la chambre : « Tu fais quoi ? » qu'il me demande.

– Je m'en vais, je ne suis plus capable, tu vas me rendre folle!

– Ah! ah! bien oui! Et tu vas aller où?

Sa réaction me rend encore plus folle. Il rit! Je n'en reviens pas, il rit de moi! Je redescends, je me rends au salon, il me suit. Je m'assois sur le canapé et je pleure. Je pleure tellement, j'ai tellement mal en dedans. On dirait que quelqu'un glisse une lame de couteau au cœur de mon corps. Je pense plutôt que c'est au cœur de mon cœur. Un mal qui brûle. Je crois que je vais mourir. Je suis convaincue que mourir ferait moins mal que ce que je vis en ce moment. Il commence à faire du ménage comme si je n'existais pas. Je n'existe pas. Je n'existe plus. C'est atroce. Son indifférence attise la brûlure en moi.

On a chauffé la lame avant de la faire glisser sur mon cœur. Je n'avais jamais souffert autant auparavant. Mais qu'est-ce que j'ai fait à la vie pour vivre ça? Quand j'étais petite, mon père me parlait souvent de la loi du karma. Cette loi qui agit comme un boomerang. *Ce que tu fais aux autres te reviendra au centuple,* me disait-il. En bien ou en mal. J'ai dû vraiment faire du mal aux autres pour souffrir autant en ce moment. Mais qui ai-je fait souffrir autant?

Je demande pardon à tous ceux que j'ai blessés ou que j'ai fait souffrir. Je suis vraiment désolée. Je ne voulais pas faire de mal à qui que ce soit. Je suis terrifiée. Je me sens incapable de bouger. Je suis figée sur le canapé. La culpabilité m'envahit une fois de plus et la peur s'empare de moi. Dans tout mon corps, la peur est présente. Elle s'est tissé un grand filet avec chacune de mes cellules et elle enveloppe tous mes organes. Elle m'étouffe, me monopolise, me paralyse; elle a pris possession de mes émotions et même de mon âme. Je ne ressens plus rien. Jamais je ne serai capable de me sortir de cette impasse. Je suis vouée à être malheureuse toute ma vie, c'est une fatalité.

Mot de la coach

Parfois la vie nous envoie des signes. Et, trop souvent, nous jouons à l'autruche. Quand ces signes arrivent, une lumière rouge s'allume. Cependant, ce n'est pas encore assez inconfortable pour bouger... pas encore. Nous souffrons et nous avons mal pendant un moment. Puis, la douleur s'estompe, alors nous oublions. Comme lors d'un accouchement, les contractions sont tellement intenses et, étrangement, aussitôt l'accouchement terminé, nous avons déjà oublié la douleur que nous avons endurée.

Les marathoniens vous diront bien souvent la même chose. La souffrance est omniprésente durant la course au point où, parfois, ils ont envie d'abandonner. Dès que la course est terminée, ils ont envie de recommencer. Peut-être sommes-nous tous un peu masochistes ?

C'est que, bien souvent, nous sommes portées par un rêve. L'image de la famille ou de la réussite prend alors toute son importance, peut-être même trop dans certains cas. Une famille dont tous les membres sont malheureux, ce n'est plus une belle image de famille. C'est de la destruction. La peur nous empêche alors de bouger. La peur de perdre ce que nous avons bâti. La peur de perdre un certain confort matériel, une sécurité. La peur est humaine et elle fait partie de l'expérience humaine.

Autrefois, la peur nous sauvait la vie. À l'époque des hommes des cavernes, elle était très utile. Elle l'est aussi lorsque vous vous approchez d'une source de chaleur, car elle vous fait réagir afin de ne pas vous brûler. Si vous êtes en safari dans la jungle et qu'un guépard se pointe devant vous, vous allez ressentir de la peur et c'est tout à fait normal ! Cependant, la plupart du temps nos peurs ne sont pas fondées et elles sont peu utiles. Au contraire, elles nous limitent et nous empêchent de vivre pleinement et librement.

Je vous invite à mettre en lumière vos peurs. En les écrivant, vous prendrez conscience de celles-ci et cela vous permettra de les mettre en perspective. Vous pouvez utiliser le truc d'arbre en arbre que nous avons vu au chapitre deux pour les regarder avec détachement.

☙ De quoi avez-vous peur en ce moment?

Maintenant, prenez la première peur que vous avez inscrite et écrivez-la sur un bout de papier. Nous allons faire un petit exercice pour la surmonter. Pour faire cet exercice, il serait préférable que vous soyez dans un endroit tranquille. Apportez avec vous des bouts de papier et un marqueur. Avant de commencer, répondez aux questions suivantes. Cela vous permettra de faire une comparaison par la suite.

Quand vous vous concentrez sur cette peur…

- Où habite-t-elle dans votre corps? Dans votre ventre, votre poitrine, votre dos, partout?
- Quelle couleur a-t-elle?
- De quelle grosseur est-elle?
- Est-ce qu'elle bouge? Si oui, comment?
- Si vous aviez à la mesurer sur une échelle de 1 à 10, à quel niveau se situe-t-elle?

Imaginez une ligne devant vous et placez cette peur quelques pas en avant de vous et revenez à votre point de départ. Quand vous êtes sur votre point de départ et que vous regardez cette peur, de quoi avez-vous besoin pour la surmonter? De quelles ressources intérieures avez-vous besoin pour passer par-dessus? De courage, de force, de détermination, de conviction, de sagesse, de compréhension?

Inscrivez une première ressource sur un bout de papier et posez-le par terre devant vous. Prenez une bonne inspiration et avancez sur le papier. Quand, au cours de votre vie, avez-vous eu cette force, ce courage, *etc.*? Laissez vos souvenirs vous guider. Un passage de votre vie apparaitra. Rappelez-vous ce moment et revivez-le comme si vous y étiez.

Prenez cette ressource avec vous, ramassez le papier et gardez-le près de votre cœur. Regardez de nouveau cette peur. Observez comment la situation s'est améliorée depuis que vous avez cette ressource avec vous.

- Notez le changement positif ici et comparez l'amélioration avec vos éléments du début.
- Sentez-vous que vous avez besoin d'une autre ressource pour surmonter cette peur?
- Si oui, recommencez le processus jusqu'à ce que vous vous sentiez à l'aise pour ainsi passer par-dessus cette peur. Quand vous surmontez cette peur, qu'est-ce que cela vous permet?
- Imaginez maintenant que vous avez surmonté cette peur depuis quelques mois, comment votre expérience de vie se transforme-t-elle?

Un petit truc

J'aime bien le rituel et la symbolique qui s'y rattache. Alors si vous en avez envie, prenez le bout de papier sur lequel vous avez inscrit votre peur, rendez-vous au-dessus d'un évier ou à l'extérieur de la maison et mettez le feu au bout de papier. La symbolique est beaucoup plus grande que simplement mettre le feu à un bout de papier, c'est réduire en fumée la peur qui y est inscrite. Ressentez-la se dissoudre au fond de vous tout en observant votre peur brûler.

Bonne libération!

Chapitre 7

Le point décisif

AU VOLANT DE MA VOITURE, J'AI DÉCIDÉ DE PRENDRE SOIN DE moi. Phénomène nouveau dans ma vie puisque je n'ai plus vraiment le choix. Je suis fatiguée, je n'ai que vingt-huit ans et je me sens déjà usée par la vie. Moi qui ne devais jamais avoir d'enfant! Du moins, c'est ce que le médecin m'avait dit à dix-neuf ans à la suite de ma laparoscopie.

«La famille, oubliez ça, mademoiselle Laberge. L'endométriose, ça rend stérile. On peut vous opérer pour tout enlever si vous voulez.» L'autre option que ma charmante gynécologue m'a offerte était un médicament au coût de 300 $ par mois, incluant une liste d'effets secondaires qui aurait pu servir de tapisserie sur la muraille de Chine. «Je vous remercie. Si j'ai une seule chance sur dix millions, je vais la garder», lui répondis-je. C'est à croire que j'avais plus de chances dans le chapeau que je ne le croyais. Quatre enfants plus tard, je dirais plutôt que c'était plus une erreur médicale qu'une chance à la loterie.

Sur l'autoroute 20 en direction de Québec, je revois défiler mes dernières années de vie tel le paysage qui m'entoure. C'est le plat total, pas de relief, des terres plates, gelées et sans vie à perte de vue. À part ces collines Montérégiennes qui sortent de nulle part et qui créent tout de même un peu de mouvement dans le décor morose et ennuyeux, tout est linéaire. La blancheur de la neige rend le tout monochrome comme ma vie. Pas trop de nuances, pas trop de relief. Du moins, c'était ma façon de la voir à ce moment-là.

Je roule sur le pilote automatique et je rêve des montagnes, de projets, de la nature, du vrai, de l'authentique. Dans mes oreilles coulent les paroles de Daniel Boucher qui a sûrement pénétré mes pensées avant d'écrire cette chanson. «...Y'a déjà faite plus beau, en avant de mon bateau... j'ai déjà eu le regard plus haut, emberlificoté dans mes rêves, je rame en malade n'importe où... emberlificoté ben noir...»

C'est ma dernière chance. Rien ne va plus dans ma relation. Nous avons essayé la thérapie de couple, les escapades à deux, les vacances en famille, les livres érotiques et je ne sais plus quoi d'autre. Je veux tout faire pour préserver ma famille, coûte que coûte. Je dois tout essayer. On m'a élevée en me disant que la famille est ce qu'il y a de plus important. Je ne peux pas abandonner, même si ça fait mal, même si je ne suis pas heureuse. Peut-être qu'un peu de temps pour moi me permettra de *recharger ma batterie* et que, par la suite, je serai fraiche et dispose pour un nouveau départ? Que ça me permettra de retrouver l'harmonie que je cherche tant dans ma relation, dans mon être?

Une belle dame de soixante-douze ans, Éléonore de son prénom, grande et un peu grisonnante, m'accueille chaleureusement. Je crois que c'est la bonté et l'amour qu'elle dégage qui la rend si belle. J'apprendrai en discutant avec elle qu'elle était mannequin dans son jeune temps. Il émane d'elle une sagesse et une paix qui me font du bien dès mon arrivée. Elle prendra soin de moi durant les deux prochains jours. Massage, exfoliation corporelle, aromathérapie, méditation guidée, bouffe végétarienne, la totale, quoi!

C'est presque un exploit pour moi d'accomplir ce chemin. Pas la route comme telle, mais la décision de partir seule pendant deux jours, sans mes enfants, ni mon conjoint ni une amie. Moi avec moi-même. Jamais auparavant je n'avais fait ça. Prendre soin de moi, c'est toute une nouveauté. Je devrais être excitée, enthousiaste et super joyeuse. Je pense être juste trop fatiguée pour vivre ces émotions d'euphorie. Je suis contente, point, et je dirais que je me sens légère; oui, c'est ça, légère d'être seule avec moi-même. Dire qu'il y a quelque temps je ne me permettais même pas de m'asseoir avec un magazine. Je me sentais coupable rien qu'à l'idée d'être assise à ne rien faire. Un ami me dira des années plus tard: «Ne rien faire, c'est faire quelque chose à un autre niveau.» J'ai depuis adopté cette philosophie et elle me sert drôlement bien!

Durant mon week-end, je passerai tous mes temps libres couchée en fœtus dans le salon devant le feu de foyer. À chaque fois que je pose ma tête sur le petit coussin ivoire du canapé, mon cœur se remplit de tristesse. Je me sens fragile et vulnérable. Je n'aime pas cette sensation. Je suis habituée à jouer la femme solide et forte qui est toujours au-dessus de la mêlée. Je me sens encore comme une enfant de cinq ans et Éléonore joue à merveille le rôle de maman. Elle vient s'asseoir près de moi, me caresse les cheveux, m'explique des choses de la vie sur les émotions. Une des plus belles choses que j'aurai apprise avec elle sera de m'enraciner.

Le samedi après-midi, après un sauna rempli d'huile de sapin baumier, elle me guide dans un exercice d'enracinement. Debout, les jambes ouvertes à la largeur des épaules, je prends de grandes respirations. Mes bras de chaque côté de mon corps sont lourds et détendus. Je respire par le ventre comme elle me l'indique, j'écoute attentivement toutes ses consignes, je bois ses paroles, elle me fait beaucoup de bien.

«Imagine que des racines sortent de tes pieds. Elles s'enfoncent dans la terre, très, très loin dans la terre. Quand un arbre a des grandes racines, il est beaucoup plus solide pour affronter les tempêtes de la vie.» Ce moment restera à jamais gravé en moi.

Elle m'explique qu'elle fait cet exercice tous les matins depuis plusieurs années. Que ses racines sont grosses comme des troncs d'arbre et qu'elles se rendent jusqu'au noyau de la terre et en font le tour. Comme si elle tenait la planète Terre à elle seule avec ses racines qui sont en or. Je suis bouche bée! Les miennes étaient plutôt petites, pas très longues et un peu frêles, rien pour tenir une planète. O.K., c'est à refaire. Avec de la pratique, je saurai mieux faire.

C'est dimanche, il est 11h30. Je dois quitter et je n'en ai pas envie. Je suis bien, je suis libre et je sens la paix à l'intérieur de moi. Je veux garder cette sensation dans mon corps toute ma vie. Je remets la clé de ma chambre au comptoir, je remercie Éléonore du fond du cœur pour tout le bien qu'elle m'a fait et je sors pour me diriger vers ma voiture. Je mets le contact et aussitôt le moteur mis en marche, le mal de cœur me prend. Je suis tout étourdie, je ne me sens vraiment pas bien, je vais vomir. Je coupe le contact et j'entre à l'intérieur pour demander un peu d'eau. Éléonore me regarde avec son sourire rempli de compassion et me dit: «Tu n'as vraiment pas envie de retourner chez toi?»

Et VLAN! Un autre coup de pelle! Éléonore avait lu en moi. Elle savait sans que j'aie eu à lui raconter quoi que ce soit. Elle savait depuis le début. Elle savait mon désespoir, ma peine, ma souffrance, mon dilemme. Je me suis assise sur le banc dans l'entrée, le regard mouillé et fixé vers la fenêtre. Je regardais sans ne rien voir. Encore une fois, je n'entendais plus rien. Le temps venait de s'arrêter.

Mot de la coach

Oui, parfois, faire face à notre réalité fait mal. Nous sommes notre pire menteur et notre pire ennemi. Notre mental nous utilise bien trop souvent et nous fabrique toutes sortes de bonnes raisons pour nous donner bonne conscience, pour nous faire croire que nous sommes sur le bon chemin et au bon endroit. Nous bâtissons notre futur avec les croyances et les valeurs de notre enfance. Dans bien des cas, nous n'avons même pas réfléchi pour savoir si c'est ce que l'on veut vraiment.

- Vous êtes-vous déjà assise avec vous-même pour savoir ce que vous vouliez vraiment?
  Oui? Non?
- Maintenant que vous connaissez vos valeurs, sont-elles respectées dans ce que vous vivez présentement?
  Oui? Non?
- Écoutez-vous les signaux que votre corps vous envoie pour vous faire réaliser que quelque chose ne va pas?
  Oui? Non?

Si vous avez répondu non aux trois questions, je crois qu'il est grand temps que vous passiez un moment seule avec vous-même. Offrez-vous un rendez-vous, comme vous le feriez avec une amie. *Aujourd'hui, c'est vous, votre meilleure amie.* Prenez le temps de vous questionner sur ce que vous voulez vraiment dans une relation, dans votre vie.

- Qu'est-ce que vous cherchez à atteindre dans votre vie?
  La paix intérieure, l'harmonie, l'authenticité?

Et n'oubliez pas l'exercice d'Éléonore : s'enraciner tous les matins. Et, vous savez, ça fonctionne. Aujourd'hui, mes racines sont en or comme celles d'Éléonore, elles englobent la Terre et se rendent jusqu'à son noyau où j'y puise toute l'énergie nécessaire pour traverser les moments plus difficiles.

Bon moment avec vous-même !

Chapitre 8

Le K.-O.

CE N'EST PLUS UNE QUESTION DE CHOIX, C'EST UNE QUESTION de survie! Du moins, c'est mon constat. J'ai essayé toutes sortes de choses: la thérapie, fermer les yeux, me raisonner, me dire qu'il y a pire, que je ne suis pas si mal que ça, qu'au moins mes enfants vivent dans une famille qui est encore ensemble. J'ai toujours ce mal-être et cette tristesse au fond de moi. Je traine encore cette foutue toile d'araignée qui me pèse de plus en plus lourd.

Je me fais couler un bon café. Les deux plus vieux sont à l'école et les deux plus jeunes sont à la garderie. J'ai un petit moment pour moi, pour réfléchir une fois de plus à ma peine. Je me tranche un bagel au sésame, le mets dans le grille-pain et fixe le vide. Je ne sais pas si mes pensées vont vers quelque chose en particulier. Je crois davantage que je suis en mode léthargie, aucune activité cérébrale, le point mort. Tout se fait sur le pilote automatique, comme la majorité des actions que j'accomplis. Si on m'avait fixé des électrodes sur la tête, on aurait pu voir la ligne horizontale qui démontre qu'il n'y a aucune activité, le calme plat… biiiiiiiiiiiiip. Rien.

Je donne un cours de peinture cet après-midi. Je ne trouve même plus la motivation pour les donner. Y a-t-il encore quelque chose qui me passionne? Je ne sais plus. Ma vie ne fait plus de sens. Je vis comme un zombie depuis bien longtemps. Je fais des choses, mais je ne suis pas présente quand je les fais. Je suis toujours ailleurs. Et cet «ailleurs», je ne sais pas où il est. Dans cet «ailleurs», je ne sais pas non plus qui je suis. Je me suis perdue de vue depuis tant d'années que je ne reconnais plus la femme que je suis.

Si femme il y a encore. Quand j'étais enfant, j'avais de la fougue, du caractère et de la vivacité. Les gens de ma famille faisaient exprès pour me faire «choquer» parce qu'ils trouvaient cela drôle. Ils disaient: «Elle va aller loin, cette petite, avec le caractère qu'elle a. Elle va faire sa place au soleil.» Le soleil, je ne le vois plus. Je vis dans le gris et noir. Je vis dans l'ombre avec mon ombre et à l'ombre de mes rêves. Dans l'ombre de ma famille. Je ne vois plus mes amies, car elles n'ont pas d'enfants. Alors, elles ont continué leur vie, leurs activités et leurs sorties. À force de refuser les invitations parce que je n'ai pas d'argent, pas de gardienne ou parce que cela fera de la chicane, elles ont cessé de m'appeler et de m'inviter. Je ne leur en veux pas, je les comprends, elles ne savent pas ce que je vis.

De l'extérieur, tout le monde pense que nous sommes une petite famille heureuse. Je ne parle pas vraiment aux autres de mes sentiments. Je suis une «superwoman» et j'ai toujours l'air au-dessus de mes affaires. Je me suis isolée et c'est réussi, je me sens vraiment seule.

Je m'assois au bout de la table, seule avec mon café et mon bagel, comme tous les matins. C'est un matin qui semble être comme tous les autres. Plate et ennuyeux. Je prends une bouchée, sans saveur, sans texture et sans odeur. Je ne suis toujours pas là. Pas présente à mon corps, pas présente à cet instant. Où suis-je? J'avale mon petit-déjeuner d'une façon automatique, comme tout le reste. Et, sans prévenir, un mal de cœur me prend subitement, comme celui au centre de santé lorsque je m'étais assise au volant pour revenir à la maison. Je me lève et cours vers la salle d'eau du rez-de-chaussée.

Je plonge vers la toilette et tout le contenu de mon déjeuner s'y retrouve en un instant. Beurk! Je vomis sans arrêt, comme si je vomissais toute la tristesse qui m'habite depuis ces dernières années. Mon corps entier se contracte. Il n'y a plus de solides à libérer et, pourtant, je sens encore que quelque chose veut sortir. Ce goût amer qui roule dans ma bouche ressemble drôlement à l'amertume de ma vie. Je n'aime pas ça, je tremble, je ne comprends pas ce qui m'arrive, j'ai peur. Mon activité cérébrale revient sur-le-champ. Moi qui me croyais dans une mort lente, voici que mon corps me fait signe que je suis en vie. L'avais-je oublié? Je me relève tranquillement, un peu étourdie.

J'ai les jambes molles et fragiles comme mon âme. J'ouvre le robinet du petit lavabo et je m'asperge le visage sans me regarder. Je fixe le fond du lavabo tout blanc, la tête appuyée sur mes bras tremblotants. Je pleure. C'est mon âme qui pleure. Chaque partie de mon corps verse des larmes. Je pleure tranquillement ma peine et mon découragement. Je suis comme le robinet, sans fin, sans fond, un puits inépuisable, une rivière intarissable. Je suis en train de me rendre malade. Ce jour-là, je prends la décision la plus importante de ma vie: celle d'être heureuse, d'être heureuse à cent pour cent, pour moi et pour mes enfants.

Mot de la coach

La violence émotive, psychologique, physique ou même économique est un dur constat. Elle fait place dans bien des cas à la culpabilité. Comment ai-je pu laisser faire ça? Je suis pourtant une femme intelligente. Comment est-ce que tout cela a pu m'arriver à moi? Notre critique intérieur sort de sa cachette. Il nous juge, nous injure, nous accuse. Ce processus d'accusation envers soi est majoritairement relié au mérite que l'on s'accorde. À l'estime de soi.

Dans notre société nord-américaine, nous considérons bien souvent que prendre soin de soi est de l'égoïsme. Pourtant, quand nous prenons l'avion, la première chose que l'agent de bord s'empresse de nous dire est: «Si nous éprouvons des difficultés, des masques à oxygène se libéreront du plafond. Si vous voyagez avec un enfant, veuillez d'abord mettre votre masque avant de vous occuper de la personne qui est à votre charge.» Bien sûr! Comment pouvez-vous être utile à quelqu'un si vous manquez d'oxygène? C'est la même chose dans votre vie.

- Si votre meilleure amie se trouvait dans votre situation, quel serait votre meilleur conseil à son égard?
- Comment prendriez-vous soin d'elle?
- Considérez-vous que vous méritez d'être heureuse à 100 %?
- Vraiment?

Exercice simple et ultra efficace

Je vous invite à vous regarder dans le miroir, seule avec vous-même. Prenez le temps de vous regarder dans les yeux et attendez quelques secondes. Puis, dites-vous «je t'aime» à haute voix. Je sais, c'est difficile la première fois. C'est une sensation étrange et nous le disons souvent à la blague. Il est possible que cet exercice soit un moment très émotif pour vous. Il est même possible que, la première fois, il n'y ait aucun son qui veuille sortir de votre bouche. C'est un exercice très puissant. Répétez-le, même si, au début, vous n'y croyez pas. Ça viendra avec le temps. Faites-moi confiance, ce truc fonctionne vraiment, même s'il vous semble ridicule.

Vous pouvez aussi dire: «Je t'aime, je mérite d'être heureuse.» Dites-le aussi avec votre prénom: «Je t'aime, Ariane.»

Quand on commence à s'aimer vraiment pour qui nous sommes, avec nos forces et nos faiblesses, l'univers nous envoie de l'aide comme s'il se disait: «Bon! enfin quelqu'un qui a compris!» Vous serez peut-être surprise de ce qu'il mettra sur votre chemin. Ouvrez-vous, ouvrez votre cœur. Le meilleur reste à venir.

«Prends soin de ton corps
pour que ton âme ait envie d'y rester.»

– PROVERBE INDIEN

TROISIÈME PARTIE

LE BRANLE-BAS DE COMBAT

Chapitre 9

Qu'est-ce que le monde va dire?

Je n'en parle pas trop. Je n'ai pas l'habitude de me plaindre et je me dis que ça va passer. Le beau temps va revenir. J'ai décidé d'être heureuse, alors l'affaire est réglée! Je serai heureuse, un point c'est tout. Ça devrait arriver puisque j'en ai décidé ainsi, mais je n'ose pas encore faire de choix. Je me rappelle avoir lu un jour que faire un choix, c'est renoncer à quelque chose. Je n'ai pas envie de renoncer à ma famille. Depuis que je suis toute petite, j'entends parler de cette image de la famille parfaite, celle avec un mariage en blanc, des beaux enfants, une belle maison, une voiture neuve, une piscine et un chien, comme dans les livres de *Martine*. Vous vous souvenez de ces livres?

Martine à la campagne, Martine à la ferme, Martine à l'école, etc. Les images de ces livres étaient tellement belles, comme mon beau portrait de famille. J'ai mis du temps à la cultiver cette belle image, à la peaufiner et à l'astiquer. Si vous vous souvenez bien, il n'était pas dans mes rêves d'enfant, ce portrait de famille. J'adorais les enfants, certes, mais je rêvais plutôt de sauver le monde et d'enrayer la famine. Pas d'enrayer ma famille. J'aurais eu l'impression de prendre la photo et de la déchirer en petits morceaux.

Réflexion à moi-même… Mais, au fond, si ce n'est qu'une image, ce n'est donc pas ma réalité! Oui, parce que ma réalité, elle n'est pas aussi belle que cette image, pas aussi jolie que cette belle idée que l'on m'a vendue depuis fort longtemps. D'ailleurs, à quoi ai-je pensé en achetant cette idée? Tu parles d'une drôle d'idée! Alors ai-je peur de perdre une image? Une idée? Si ce n'est qu'une idée, qui suis-je sans cette idée? Comment serait ma vie sans cette idée soutenue par cette image? Si je prenais cette idée et la mettais dans une petite boite pour cinq minutes, qu'est-ce que ça changerait dans ma vie? Est-ce que je veux sauver une idée? Il serait peut-être temps que je commence à me sauver moi-même! Que je mette mon masque à oxygène.

Oui, mais... j'ai une peur bleue d'en parler. Personne n'est vraiment au courant de ce que je vis. Ils vont me prendre pour une folle. Ils se diront sûrement que j'imagine toutes sortes de choses, que je me plains pour rien ou, encore, qu'il y a bien pire que moi. Mon conjoint ne me frappe pas quand même. Il rit de moi parfois, ce n'est pas méchant, qu'il dit, mais ça me fait mal quand même. Hum! Je ne suis peut-être pas si mal que ça, après tout. Mes idées se fracassent, se font la guerre. Mon cœur versus ma tête. Qui va remporter le face-à-face? J'ai toujours mon syndrome aigu de «superwoman» et ça ne m'aide pas vraiment en ce moment. Habituellement, ça me sauve la vie, mais là, je dois avouer qu'il me fait prendre du retard sur le terrain. Une «superwoman» vulnérable, jamais vu ça, moi! La vulnérabilité, connais pas, c'est pour les faibles, ça! Pas pour moi.

Je mettrai des années avant d'embrasser la vulnérabilité, et c'est encore en cheminement à l'intérieur de moi.

Au fond de moi, je suis morte de peur. J'ai peur de ce que mes parents vont penser, eux qui m'ont appris que la famille était ce qu'il y a de plus important. Je vais sûrement les décevoir. M'aimeront-ils autant? J'ai peur de l'échec. C'est ça, j'ai échoué. Je n'ai pas été à la hauteur. J'ai honte. Cette pensée me terrorise.

Qu'est-ce que mes amies vont penser? Elles qui croient que tout va bien, que j'ai la petite famille parfaite dont tout le monde rêve avec ma belle maison, ma piscine et mon golden retriever. Et ce n'est pas une blague! J'ai tout ça et même le cabanon qui s'agence avec la maison, on ne rit plus! Je ne peux pas faire ça! Et si je disparaissais? Bien non, voyons! Quelle idée absurde! Mes enfants, ils n'ont pas à vivre ça. Mais si je reste ici et que je ne change rien, je vais mourir. Je suis déjà en train de mourir petit à petit. Je dois absolument faire quelque chose.

Mot de la coach

Ah! ce charmant petit juge qui vit au-dessus de notre tête en permanence. Comme un petit soldat, il est toujours prêt, toujours en service, fidèle au poste et il n'en manque pas une. Un petit soldat prêt à nous défendre, certes, sauf qu'il ne nous défend pas toujours de la bonne façon. Plus souvent qu'autrement, il nous ralentit et nous ramène à notre place. Il nous fait redescendre de notre nuage. Il nous rabaisse, nous critique et nous juge souvent très sévèrement. Vous savez, il ne veut que notre bien. Il veut nous protéger contre des blessures éventuelles. Il veut nous préserver d'avoir mal et il le fait bien souvent parce qu'il a peur pour nous.

Les deux plus grandes peurs de l'humanité sont de ne pas être aimé et de ne pas être à la hauteur. Et si on décortique la peur de ne pas être à la hauteur, nous revenons à la peur de ne pas être aimé. Ces peurs sont observées par les yeux effrayés de notre enfant intérieur. Il a peur qu'on le rejette, qu'on ne l'aime plus, qu'on le juge, qu'on le critique ou qu'on l'humilie. Ces peurs sont simplement notre perception des choses, notre point de vue personnel. Notre perception est basée sur nos expériences antérieures, notre histoire et nos croyances que nous avons adoptées sans nous questionner. Et si nous changions notre point de vue, si nous le modifiions? Qu'est-ce que ça changerait et améliorerait?

Je vous propose deux petits jeux

Le premier en est un d'observation

Installez-vous dans un fauteuil et notez cinq choses que vous pouvez observer dans la pièce. Ensuite, changez de fauteuil dans la même pièce et observez de ce point de vue cinq autres choses. Vous êtes pourtant dans le même environnement et vous pouvez constater que vous observez des choses différentes selon l'endroit où vous vous trouvez. C'est la même chose dans votre vie. En ce moment, vous voyez certains éléments de votre situation, mais si vous changez l'angle duquel vous observez en ce moment pour un autre point de vue, vous pourrez constater d'autres éléments.

Ce ne sont que des éléments, il n'y a rien de bien ou de mal, seulement des éléments et la perception d'une situation. La notion de bien ou de mal est une question de perception aussi. Elle nous vient de notre religion, de notre éducation et de nos croyances. Par exemple, dans les pays musulmans, la polygamie est une chose commune, pratiquée et acceptée par la société depuis la Deuxième Guerre mondiale. Cependant, en Amérique du Nord, c'est un comportement bien souvent jugé sévèrement et considéré comme étant de la trahison. Ce n'est qu'une question de culture. Une question de perception. Pas de bien ou de mal.

Maintenant, refaites le petit jeu d'observation, mais cette fois imaginez qu'un des fauteuils est le vôtre et l'autre, le fauteuil de la personne avec qui vous vivez un différend. Prenez bien le temps de vous mettre dans vos souliers et notez ce que vous observez. Ensuite, changez de place et prenez aussi bien votre temps afin d'entrer dans les souliers de l'autre et observez-vous de son point de vue. Oui, je sais, parfois ce n'est pas très agréable et parfois nous n'avons pas envie de nous mettre dans les souliers de l'autre. Savez-vous pourquoi? C'est parce que nous avons peur de nous voir dans un regard qui n'est pas le nôtre. Eh oui! Ce n'est pas très agréable parfois de constater que nous avons peut-être tort. Cependant, je peux vous assurer que cela vous permettra de mieux comprendre la situation.

Le deuxième est un 5 à 7 avec votre petit soldat

Ce que je remarque le plus dans les rencontres avec mes clientes, c'est que la plupart d'entre nous ont un soldat critique vraiment fort. Vous savez, celui qui vous parle dans votre oreille pour vous décourager, vous ridiculiser et vous dire des mots pas très gentils. Celui qui veut votre bien mais qui ne sait pas trop comment vous le dire. Alors il le fait avec la peur et d'une façon négative bien souvent.

Je vous invite donc à porter attention à sa voix.

- Est-ce qu'elle vient du côté gauche ou du côté droit?
- Est-ce une voix féminine ou masculine?
- Grave ou aiguë?
- Le débit est-il rapide ou lent?
- Le volume est-il bas ou fort?
- Quand vous prenez le temps de bien l'écouter, est-ce que c'est la voix de quelqu'un que vous connaissez?
- Qui est-ce?

Maintenant que vous avez bien identifié la voix, nous allons faire un petit 5 à 7.

Demandez à votre petit soldat quelle est sa bonne intention quand il vous critique. Laissez monter la réponse instinctivement, ne cherchez pas à comprendre, laissez-vous aller au jeu, tout simplement. Vous ne risquez rien.

Demandez-lui s'il a un message pour vous.

Et maintenant, prenez un petit moment pour le rassurer. Expliquez-lui que vous êtes devenue une grande personne, que vous avez beaucoup de bonnes ressources en vous. Remerciez-le aussi d'avoir toujours été présent pour vous. Parlez-lui comme vous parleriez à un ami. Dites-lui qu'à partir de maintenant vous allez prendre les rênes de votre vie. Vous voulez bien qu'il reste avec vous et qu'il continue à vous aider, mais d'une façon positive et rassurante.

Comme un coach, il sera là pour vous apporter un autre point de vue, une nouvelle vision. Dites-lui que vous comprenez qu'il a voulu bien faire jusqu'ici, cependant cette façon ne vous aide plus maintenant, même qu'elle vous nuit.

Alors vous faites une entente stipulant qu'à partir d'aujourd'hui, vous ferez équipe dans le même camp, vous travaillerez ensemble comme des coéquipiers.

- Remarquez comment le son et le débit de sa voix changent au fur et à mesure que votre discussion avance. Peut-être qu'il a même changé de camp? Notez ces changements.
- Quand sa voix se modifie et qu'il se fait plus rassurant, comment cela vient-il bonifier et améliorer votre expérience?

Peut-être pouvez-vous remarquer que plus sa voix est rassurante, plus votre corps se calme, qu'une paix intérieure s'installe, que vos muscles se décontractent.

Et quand tout devient plus calme, tout devient aussi plus clair et plus positif. Gardez cette voix en mémoire et utilisez-la chaque fois que vous en aurez besoin. C'est un peu comme avoir un coach dans votre poche arrière qui est toujours disponible pour vous rassurer.

Chapitre 10

Je ne veux pas faire de peine à mes enfants

JE NE PEUX PAS FAIRE ÇA À MES ENFANTS. JE NE VEUX PAS FAIRE ça à mes enfants. Ils n'ont pas demandé à vivre cette situation. La simple idée de faire de la peine à mes enfants me rend tellement malheureuse. Je me sens vraiment déchirée à l'intérieur. La culpabilité reprend encore du service. Décidément, elle est toujours prête à faire des heures supplémentaires. D'où vient la culpabilité? J'en ai assez de ce sentiment qui me tord les tripes et m'emplit la tête comme une gélatine mal prise. Chaque fois que la culpabilité m'envahit, je rapetisse de l'intérieur comme si mon corps devenait d'un seul coup un vêtement de quelques tailles trop grandes. Je me sens vraiment perdue.

Je suis assise sur la terrasse et je regarde mes enfants jouer dehors. Il fait un beau soleil et la température est douce. C'est le printemps et la terre est encore humide. Les fleurs précoces se pointent le bout du nez. Ça sent le renouveau de la nature. Les oiseaux gazouillent, c'est la saison des amours. Dans mon cœur, c'est plutôt le contraire. Je dois prendre une décision et elle ne sent pas l'amour. Je ne vois pas encore que c'est de l'amour pour moi, un renouveau printanier pour mon bien-être.

Je suis encore inconsciente de tout ça. La seule chose qui me préoccupe, ce sont mes enfants. Je vous l'ai déjà dit, le modèle d'une bonne mère pour moi est une mère qui se sacrifie pour son mari et ses enfants, une femme qui s'oublie et qui fait passer les besoins des autres bien avant les siens. Je me sens tellement égoïste de vouloir penser au mien. Si seulement j'avais une baguette magique, j'arrêterais le temps. Comme avec un film, je prendrais la télécommande et je le mettrai sur «pause» le temps de me refaire des énergies, de réfléchir, d'analyser et de m'organiser.

Analyser, je suis une experte à ce jeu. J'analyse tout: comment je me sens, pour les fois où je me sens, ce que je pense, ce que les autres vont penser, pourquoi suis-je dans cette situation, qu'est-ce que j'ai fait à la vie pour m'y retrouver, de quelle façon ai-je contribué à cette situation? Je crois toujours que c'est moi la responsable de tout. Une «superwoman» peut en prendre large sur ses épaules. D'ailleurs, les muscles de mes trapèzes me disent souvent que j'en ai assez pris. Et quand mes trapèzes se contractent pour me parler et que je ne leur porte pas attention, ce que je fais à peu près tout le temps, une migraine sévère s'ensuit. Je deviens alors complètement dysfonctionnelle.

Je me retrouve clouée au lit, je ne peux plus tolérer la luminosité, j'ai l'impression d'avoir des aiguilles dans les yeux, un martèlement sur la tête et un étau autour de mon crâne. J'ai mal au cœur. Je me retrouve dans de beaux draps, c'est le cas de le dire! C'est ma façon à moi de faire «pause» dans ma vie et dans mes analyses. Je n'en suis pas encore consciente, une fois de plus. Ces migraines me pourrissent la vie. À cause d'elles, je manque un grand nombre d'événements, plusieurs soupers et beaucoup de beaux moments avec mes enfants. Je veux mourir à tout coup. J'ai envie de sauter au fond d'un précipice chaque fois pour arrêter la douleur.

Ça ressemble étrangement à ma vie. Je suis convaincue, et c'était une croyance très forte en moi à cette époque, que tout cela est simplement relié à mon phénomène féminin: mes merveilleuses menstruations! Je n'ai pas de sautes d'humeur, mais je plonge dans les décombres pour en ressortir environ quarante-huit heures plus tard. Je me rendrai compte bien des années plus tard que tout cela était provoqué par la guerre entre mon cœur et ma tête. Mes émotions veulent me parler, et ma tête veut les analyser et rationaliser le tout. *Ce n'est pas comme ça que ça fonctionne, ma belle!*

Les règles d'une femme permettent de donner la vie, d'avoir des enfants. Je devrais les bénir, mais je les hais, car j'ai l'impression qu'elles règlent ma vie! Grâce à elles, j'ai eu quatre magnifiques enfants. Mes enfants, que vont-ils dire? Ils sont encore si jeunes. Mon bébé n'a que deux ans et le plus vieux seulement neuf. Étrangement, ils sont tout petits et je les sens déjà grands en dedans. J'ai parfois l'impression qu'ils me comprennent.

Parfois, ils viennent s'asseoir sur moi pour me faire un gros câlin, comme s'ils sentaient que j'ai besoin de réconfort. Leurs petites mains sur mon visage me font un bien immense à l'intérieur. Une douceur qui réchauffe le cœur, qui guérit de tous les maux. Quand je les serre dans mes bras, je viens souvent les yeux pleins d'eau. Je refoule beaucoup mes émotions, car je ne veux pas qu'ils me voient ainsi. Je dois être une mère forte pour eux, une mère à l'épreuve de tout, une mère qui peut soulever des montagnes et décrocher la lune pour s'y asseoir et y rêver.

Être toujours souriante, accessible, enjouée, présente, douce et affectueuse. Je me sens moi-même comme une enfant en ce moment et j'ai juste envie de crier: «Maman, viens m'aider! J'ai besoin de toi, de tes caresses, de tes câlins dans mes cheveux, de ton amour de maman. Aide-moi, maman. Je ne suis plus capable d'avoir mal.» Je suis tannée de me sentir petite, écœurée de toujours avoir l'impression que je ne suis jamais assez bonne, plus capable de sentir que je fais toujours les choses de la mauvaise façon, que je suis exigeante et jamais satisfaite. Je suis à bout de me sentir comme une vidange! Aide-moi, maman!

Mot de la coach

En premier lieu, j'aimerais vous dire qu'il est impossible de ne pas marquer nos enfants. Je comprends votre désir de les protéger et de vouloir leur éviter de vivre des déceptions. Les joies et les peines, les victoires comme les défaites font partie de l'expérience humaine. Chaque enfant perçoit l'information selon sa personnalité et il en fera sa propre interprétation.

Petite histoire: Une mère accouche de jumeaux. Après plusieurs semaines, épuisée par le manque de sommeil, elle commence à devenir quelque peu impatiente. Un jour où les bébés sont en pleurs et inconsolables, la mère, dans son impatience, gifle les enfants au visage en même temps. Quarante ans plus tard, un des jumeaux vit des relations problématiques avec les femmes et éprouve une colère inexplicable tandis que l'autre vit des relations tout à fait satisfaisantes.

Comment cela se fait-il? Tout simplement parce que, selon moi, les traits de caractère innés sont différents, ce qui entraine une variation dans la perception des événements. Un des enfants est resté marqué par l'événement et l'autre n'en a point été affecté.

Nous venons au monde avec des talents, des forces et des ressources propres à nous. Nous interprétons et ressentons les choses à notre façon. C'est ce qui fait que nous sommes tous différents, tous uniques. Il ne sert à rien de s'interroger sur la façon dont les enfants vivront un événement ou un autre puisqu'il est impossible de prédire de quelle façon ils les interpréteront.

Ils feront leur propre chemin avec leurs expériences bien à eux. Faites-leur confiance, ils sauront comment composer avec les problématiques de leur vie, comme vous le faites aujourd'hui. Ce serait comme vouloir changer la génétique d'une semence de pommier afin de s'assurer qu'il donnera de belles pommes. Votre enfant est comme la semence, il possède déjà tout en lui, il a seulement besoin d'un environnement propice et parfait pour lui afin de bien évoluer.

Pour trouver un équilibre dans notre vie, il est important de ne pas mettre tous nos œufs dans le même panier. Je dis souvent que la vie est comme un bouquet de ballons. Si vous gonflez un seul de vos ballons et qu'il arrive un imprévu à ce ballon, comme dans mon cas avec celui de la famille, vous dégringolez assez vite au sol et la chute est souvent brutale. Ça fait mal!

Par contre, si vous répartissez l'air dans différents ballons, dans les différentes sphères de votre vie, il y a beaucoup moins de risques de chute puisque vous possédez d'autres ballons pour vous soutenir dans les airs.

Comme une image vaut mille mots, je vous propose de faire l'exercice suivant pour connaitre où vous en êtes dans l'équilibre de votre vie.

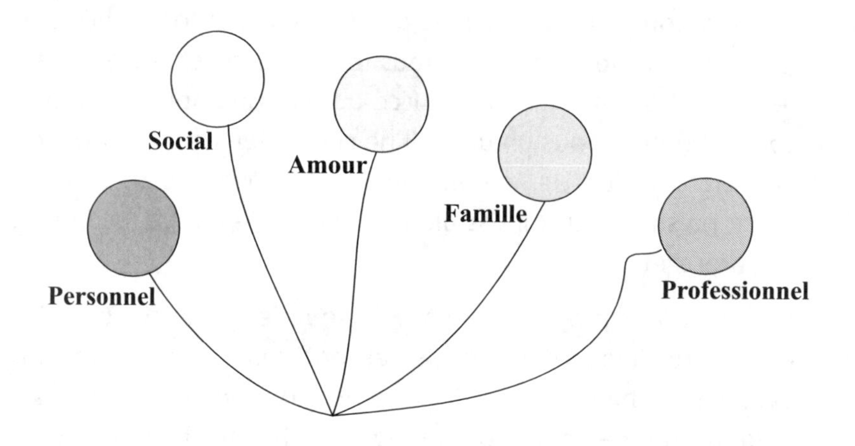

Le personnel

Vous y retrouvez bien sûr tout ce qui vous concerne.

- Comment vous nourrissez-vous?
- Comment prenez-vous soin de vous, comment vous faites-vous plaisir?
- Comment faites-vous attention à votre santé?

Je peux vous confier que, si l'on m'avait fait faire cet exercice il y a quelques années, cette sphère aurait été presque inexistante. Faites attention ici, je parle de prendre soin de soi de façon sincère, pas pour bien paraitre aux yeux des autres. Je parle ici d'égoïsme sain: savoir dire non, savoir reconnaitre ses besoins, faire respecter ses valeurs, poser ses limites. Nous reviendrons plus tard sur la notion d'égoïsme sain.

Le social

C'est tout ce qui concerne vos relations et vos activités.

- Les amis
- Les sorties

- Les activités culturelles

Comment entretenez-vous toute cette sphère sociale qui gravite autour de vous?

L'amour

Vous me direz que ce n'est pas une sphère de vie. *Oh! que oui,* je vous répondrai! Vous vous souvenez que c'est le plus grand besoin de l'humanité. Tout tourne autour de l'amour et tout est amour.

Quelle relation avez-vous avec cette sphère de votre vie?

J'en connais qui n'ont que ce seul ballon et d'autres qui croient qu'ils n'en ont pas besoin du tout. Dans ce ballon se retrouve tout ce qui se rapporte aux relations amoureuses. Nous avons tous besoin d'être aimés, c'est un besoin biologique. Dans certains cas, les gens en ont tellement besoin qu'ils gonflent uniquement ce ballon. Comment est le vôtre?

La famille

Cette sphère inclut votre famille actuelle, soit votre conjoint et vos enfants, ou encore votre famille d'origine, soit vos parents et vos frères et sœurs.

Le professionnel

C'est le ballon dans lequel nous nous réalisons, bien souvent par un métier qu'on aime ou même par le bénévolat.

- Les collègues
- Les clients
- La contribution
- Les réalisations

Maintenant, je vous invite à prendre un moment avec vous-même afin d'évaluer sincèrement comment est le bouquet de votre vie en ce moment.

Dessinez vos propres ballons.

- Que constatez-vous?
- Qu'avez-vous envie de modifier afin d'améliorer votre équilibre de vie?

Chapitre 11

Je ne comprends rien!

En route vers Saint-Eustache, je roule en direction de ma destinée et je ne le sais pas encore. J'ai commencé des cours de Reiki avec une dame vraiment sympathique, Mimi, en qui j'ai une grande confiance. Comme elle me sait ouverte à beaucoup de choses, nous testons plusieurs trucs ensemble. Mis à part le Reiki, quand j'arrive complètement dévastée émotivement, elle m'apprend des choses sur l'énergie, sur la centration, sur le fait que nous sommes tous reliés. J'ai l'impression qu'elle est une suite à ma rencontre avec Éléonore. Mimi poursuit son enseignement sur la conscience, sur nos possibilités et le pouvoir incroyable de l'être humain.

Comme je suis une exploratrice dans l'âme, j'essaie tout ce qu'elle m'enseigne et je le mets en pratique religieusement. Je consigne ce que j'observe dans mon livre des miracles, comme elle l'appelle, au jour le jour. J'y note toutes mes réalisations et mes réussites. Je prends de l'assurance et de la confiance en moi. Je commence à voir toutes les possibilités qui s'ouvrent à moi.

Un jour que j'arrive plus à terre encore que les autres journées, Mimi me questionne sur ce qui ne va pas. Je lui explique alors que le père de mes enfants m'attaque continuellement en dénigrant mon rôle de mère. Je ne peux tolérer que l'on s'en prenne à mon rôle de mère. Quand on me dit que je suis une mère égoïste et injuste ou que l'on rabaisse la mère en moi, je deviens complètement folle! Je sors de mes gonds, je perds complètement le contrôle, je deviens hystérique, mes crocs s'allongent à vue d'œil et je suis prête à mordre qui osera se pointer sur mon passage. Attention, chien dangereux!

Je ne comprends pas pourquoi je réagis si fortement. Je suis capable d'encaisser des méchancetés du genre que je suis folle, que je suis stupide ou n'importe quelles autres idioties, mais mon rôle de mère, c'est une zone protégée! Pourtant je sais que je suis une bonne mère, pas parfaite, personne n'est parfait, mais une bonne mère présente et attentionnée pour mes enfants. En fait, je ne comprends pas grand-chose à ce qui m'arrive! Je ne peux pas comprendre parce que j'essaie de comprendre avec ma tête et que c'est mon cœur qui vit les émotions difficiles de la séparation. Encore une fois, j'essaie d'analyser et de rationaliser tout ce que je vis. La vie est sur le point de me faire comprendre d'une autre façon.

Elle me fait asseoir devant elle et me demande de fermer les yeux. Elle me fait respirer profondément, puis m'invite à retourner à un moment de ma vie où tout mon corps a ressenti cette sensation. Je n'ai aucune idée de ce qu'elle fait. Cependant, j'ai pleinement confiance en elle et je me laisse guider entièrement. Je vois les chiffres 535 pour commencer, elle me dit que c'est probablement l'époque. Je ne comprends pas. Je vois ensuite des cavaliers monter sur des chevaux: l'un est habillé de noir et l'autre est vêtu de brun. Je ne vois pas leurs visages et ils ont tous les deux des capuchons. J'ouvre alors les yeux et je lui dis: «Voyons donc, qu'est-ce que c'est que cette histoire? Est-ce moi qui invente tout ça?» Je comprends encore moins ce qui se passe. Elle me rassure et nous poursuivons. Je me vois au sol à côté des cavaliers et j'ai une espèce de robe paysanne, bien ordinaire, beige et brune en coton épais, longue jusqu'aux chevilles. Et je vois que je suis enceinte. À l'intérieur de mon corps, j'ai un drôle de sentiment, un mélange de peur et d'angoisse.

Puis, je comprends que, dans la scène, je suis enceinte du cavalier en brun. Cependant, je suis mariée au cavalier en noir. Les cavaliers se disputent et, sous mon regard apeuré, le cavalier en noir (mon supposé mari) tue d'un coup d'épée le cavalier en brun (mon supposé amoureux dont je suis enceinte). À ce même moment, dans mon corps, une boule de feu grosse comme un pamplemousse gronde dans mon bas-ventre et explose en traversant tout mon corps, comme si j'avais vomi cette émotion. Je hurle de douleur, je pleure, je tremble comme une feuille, je ne sais plus où je suis. Je suis dans une confusion totale. J'ai l'impression qu'un volcan d'émotions vient de faire irruption en moi. Les sanglots sont tellement intenses que j'ai peine à respirer. Elle m'aide à revenir au moment présent et me rassure de nouveau.

Je me calme peu à peu et reviens doucement dans la pièce où nous sommes. Je ne comprends toujours pas ce qui vient de se passer. Tout ce que je sais, c'est que ce fut d'une intensité incroyable et j'ai l'impression d'avoir perdu dix kilos.

Cette journée-là, nous ne ferons pas de Reiki. Ma rencontre se limitera à cet événement. Heureusement, car je me sens vidée. Je rêve seulement d'aller me coucher et de dormir pendant trois jours. J'apprendrai plus tard qu'elle m'avait fait une technique de PNL, programmation neurolinguistique. J'apprendrai aussi qu'il est possible de faire cette technique d'une façon beaucoup plus douce et détachée afin que ce soit moins souffrant pour la personne qui la vit. Grâce à cet événement, je mettrai une formation en PNL sur mon «bucket list» à réaliser avant de mourir.

À mon retour à la maison, je sentais une légèreté incroyable dans mon corps, comme si je venais de déposer un bagage énorme et lourd sur le bord de la route pour continuer ainsi mon voyage beaucoup plus légèrement. Plus encore, moi qui n'avais toujours pas compris pourquoi j'étais restée dans une relation insatisfaisante pendant dix ans de ma vie et eu quatre enfants pendant cette relation que je voyais malsaine, cette expérience venait m'apaiser et m'éclairer.

J'avais également un sentiment de pardon absolu face à lui. Je n'avais qu'une seule envie et c'était de lui dire merci. J'étais venue terminer quelque chose avec lui. J'étais venue retrouver ma dignité ainsi que le respect de ma personne. Maintenant, la boucle était bouclée.

Mot de la coach

Les charmantes émotions! Eh oui, ce sont elles qui permettent le changement. Elles nous permettent d'évoluer, de grandir et, oui, de comprendre. Pour ce faire, il est important de les reconnaitre. Bien souvent, nous préférons, par mécanisme de protection, les ignorer. De cette façon, nous avons l'impression de moins souffrir. En réalité, nous souffrons tout autant, mais d'une façon différente.

Les émotions sont bien souvent le résultat d'images ou de mémoires futures ou passées. Nous angoissons à l'idée d'une éventuelle possibilité de souffrance et le corps le vit instantanément. Le cerveau ne fait aucune différence entre ce qui est vrai ou faux, passé ou futur. Les émotions vivent dans le moment présent. Au moment où vos pensées vont vers un passé moins glorieux, vous revivez cet événement une deuxième fois et ressentez encore les mêmes sentiments. Pourtant, cet événement est bel et bien terminé. De plus, le corps a des mémoires. Donc quand vous vivez des émotions très intenses, il est probable que ce soit des mémoires qui soient réactivées. Du coup, le corps revit exactement les mêmes émotions, comme si vous y étiez de nouveau, et ce, pour aucune raison puisque c'est du passé.

Cependant, c'est une merveilleuse façon de vous communiquer que quelque chose n'est pas encore réglé et qu'il faut vous en occuper. L'émotion utilise votre corps pour vous envoyer un message. L'ignorer engendre bien souvent un malaise physique. Étonnamment, même quand la situation est inconsciente, votre corps, lui, semble en être conscient. Il vous envoie un drapeau rouge: stress, mal de ventre, étourdissement, crampes, mal de tête, mal de cœur, *etc.* Il a plus d'un tour dans son sac! Un peu comme un enfant qui a besoin d'attention et qui vient vous tirer le coin de la chemise. Si vous l'ignorez, il trouvera un autre moyen pour attirer votre attention et ce sera peut-être par un mauvais coup!

En premier lieu, reconnaitre l'émotion et rester avec elle. Qu'est-ce que ça veut dire rester avec elle? C'est prendre le temps de s'asseoir avec elle et l'écouter, se faire un petit 5 à 7 pour discuter avec elle et mieux la connaitre.

- À quel endroit vit-elle, cette émotion dans votre corps?
- De quelle couleur est-elle?
- Quelle taille a-t-elle?
- Bouge-t-elle?
- Si elle pouvait vous parler, que vous dirait-elle?
- Quand vous restez avec elle, comment se transforme votre ressenti?

- Si vous modifiez la couleur pour votre couleur favorite, comment cela améliore-t-il votre ressenti?
- Si vous en changez la forme, comment cela bonifie-t-il votre expérience?

~

« Les mots manquent aux émotions. »

– VICTOR HUGO

Chapitre 12

Je veux juste la paix, garde tout

LA PAIX, ÇA NE S'ACHÈTE PAS, ME DISAIT MON PÈRE ET IL AVAIT bien raison. La paix, ça n'a pas de prix. Pour quelle raison exactement est-ce que je laisse tout? Est-ce vraiment pour avoir la paix ou simplement pour être une bonne personne comme on me l'a si bien enseigné? Est-ce pour être un bon modèle pour mes enfants, un bel exemple de résilience, pour avoir l'air d'une personne généreuse ou pour être la bonne fille? Oui, mais les bonnes filles, elles ne quittent pas leur mari non plus. Eh oui! La bonne fille qui quitte les poches vides, le cœur déchiré, les tripes éventrées…

Il ne faudrait tout de même pas en demander trop et en plus réclamer ma part, celle à laquelle j'ai contribué pendant plus de dix ans. En quittant les poches vides, ça fait plus noble, plus juste. Cependant, je n'en suis pas consciente. J'ai vraiment le sentiment au plus profond de mon âme que je suis forte, que je n'ai besoin de rien. Bien sûr! Je suis une «superwoman». Je suis convaincue que ce sera un nouveau départ, une nouvelle chance. Je regarde en avant et je vois tout ce que la vie va m'apporter de beau. Je vise tellement le résultat que j'oublie qu'en ce moment je souffre.

Nous sommes en septembre 2001 et il y a, au dire de tous, pénurie de logements. Maintenant que je connais les lois de l'univers, je n'ai qu'à en créer un. Pourquoi pas?

Je feuillette les pages du journal local en quête d'un logement, car je dois partir. Un petit trois et demi y est affiché: un haut de duplex, c'est génial. Je déteste les corridors, vous vous en souvenez. Il est hors de question que je me retrouve dans un immeuble à logements. Je suffoquerais. J'appelle. Je prends un rendez-vous pour le lundi suivant, c'est parfait. Je partirai avec mon sac de linge et je m'organiserai. J'ai confiance que l'univers va m'aider. Ma bonne amie avec qui j'ai repris contact me trouve bien courageuse ou peut-être un peu folle, et elle n'ose pas me le dire. Comme je donnais des cours de peinture à la maison, en partant de chez moi, je me retrouve sans emploi encore une fois. Plus de revenus. Mais j'ai confiance que la vie va une fois de plus m'exaucer. Du travail, il y en a partout, alors je ne m'inquiète pas.

Quand nous commençons à s'aimer vraiment et sincèrement, l'univers nous envoie de l'aide. Il ne va tout de même pas me laisser tomber! Je réaliserai plus tard combien cette croyance m'aura été utile. Je suis convaincue à cette époque que tout ce que je réussis provient de facteurs extérieurs. Pas de moi. Je ne suis pas encore pleinement consciente du pouvoir qui m'habite et dans quelle mesure je peux attirer à moi tout ce dont j'ai besoin. Je ne m'attribue aucun mérite. Je veux simplement la paix et je veux me retrouver, être bien avec moi-même et être finalement heureuse.

J'ai déniché mon merveilleux trois et demi et je m'y suis installée assez facilement. Avec le peu de choses que j'ai à transporter, ça n'a pas été trop long: un simple matelas directement au sol, mon sac de linge, quelques plats de plastique, une vieille table et mon ordinateur. Le compte est bon, c'est complet. C'est très utile de n'avoir aucune structure de lit à assembler, c'est beaucoup plus rapide! Heureusement, la fille qui me laisse son appartement vient tout juste de repeindre les murs d'un beige café au lait très pâle. Je dirais que c'est très calme, très zen et ça me fait du bien. De plus, elle m'a vendu ses électroménagers pour presque rien. Je suis vraiment bénie des dieux! J'ai quelques économies qui passeront très rapidement pour me réinstaller. Des serviettes de bain quand tu sors de la douche, c'est assez pratique. Un rideau de douche aussi pour éviter que la salle de bain ne tourne à des allures d'aquarium.

Des linges à vaisselle, des fourchettes et des assiettes, des verres, des couteaux pour faire la cuisine, ah oui, un grille-pain, un poêlon, un chaudron, un balai et les rideaux qu'on oublie, car c'est du superflu, et la décoration aussi. *Pas besoin,* que je me dis. Ce que je veux, ce n'est pas un palais mais bien la paix. La sainte paix! Un environnement en paix, être en paix avec mes idées, mes pensées, mes projets, en paix avec moi-même.

Arrivée au bout de mes économies, je commence à trouver ma nouvelle réalité un peu moins paisible. Je dois faire de la gymnastique mentale pour trouver comment organiser les comptes et réussir à tout payer. Cette situation me crée un stress énorme et je ne m'en rends même pas compte. Comme ce jour où, pour payer l'épicerie, je remets ma carte de crédit à la caissière, ce n'est pas pour accumuler des petits points, croyez-moi, et elle me dit: «Je suis désolée, madame, la transaction est refusée.» Ouf! dur coup à l'orgueil. Je n'ai même plus suffisamment d'argent pour payer mon épicerie. Ouille! ça fait mal. Très mal.

D'autant plus que la semaine précédente, j'étais dans le bureau de ma conseillère financière pour réorganiser mes affaires. Je voulais obtenir un prêt pour retourner aux études. La charmante conseillère me répond: «Mais, madame Laberge, vous n'avez pas de revenu stable. Comme vous êtes travailleur autonome, nous ne pouvons obtenir de garantie. Nous ne pouvons donc pas vous accorder ce prêt.» *Ah! bien sûr*, que je me dis intérieurement. J'ai un compte chez vous depuis que j'ai quatorze ans, j'ai payé une hypothèque avec monsieur pendant dix ans, mais comme j'ai quitté un emploi que vous considérez stable pour élever mes enfants, je ne figure plus dans le registre des potentiels pour les institutions bancaires! Je suis devenue un fantôme à vos yeux, je ne «vaux» plus rien. Je suis outrée par cette situation, mais je n'ai pas dit mon dernier mot. C'est dans de telles situations que ma «superwoman» me sauve la vie. Je trouverai bien une solution. À suivre...

L'angoisse me prend tout de même. Comment vais-je y arriver? Je ne pourrai pas tenir longtemps ainsi. De plus, j'ai eu plusieurs altercations avec le père de mes enfants. Elles me mettent dans un état de colère extrême et, dans ces moments-là, suivent de très près la tristesse et la lourdeur. Je ne me résous pas à prendre des procédures judiciaires afin d'obtenir une pension alimentaire pour les enfants. Je pense encore acheter la paix. Et mon père qui me répète sans arrêt que la paix, ça ne s'achète pas. Mais je ne me sens pas la force d'entreprendre toute cette mascarade. Je fais des tentatives à l'amiable, je propose des compromis, seulement pour m'aider à payer une partie de l'épicerie des enfants, la semaine sur deux où ils sont avec moi, entassés dans mon petit trois pièces et demi.

Rien à faire. C'est sa colère et sa blessure qui me répondent à chaque fois. Et je reçois cela comme une claque en pleine face. «Tu as voulu partir, eh bien, arrange-toi!» Pourquoi m'aiderait-il puisque c'est mon choix. Je ne réalise pas qu'en ne prenant pas de mesures légales, je ne fais pas valoir les droits de mes enfants. C'est eux que je pénalise. Je n'en suis pas encore consciente. Mon seul objectif est de préserver ma paix et d'éviter les conflits. J'ai l'impression que c'est vraiment préférable ainsi pour les enfants. J'ai l'impression d'acheter la paix.

Je déteste les conflits autant que les corridors. Je m'éloigne des conflits. Je préfère y perdre plutôt que de les affronter. J'ai longtemps cru que c'était une forme inconsciente de fuite et je m'en suis beaucoup voulu. Je pensais que j'avais peur d'affronter le conflit, mais je réaliserai beaucoup plus tard que ce n'était pas tant de l'affronter qui me faisait m'en éloigner, mais la peur de l'alimenter. C'est bien différent. Plus les accrochages se multiplient, plus je comprends que mon père a raison : la paix, ça ne s'achète pas!

Mot de la coach

Aujourd'hui, je peux vous garantir que la paix ne s'achète pas! Surtout pas au prix de notre santé. Il y a deux sujets que j'aimerais aborder avec vous.

En premier lieu, j'aimerais vous parler de l'argent.

Eh oui! Sans vouloir faire des généralisations, nous, les femmes, ne prenons pas en considération cette partie primordiale qui permet de vivre librement. L'argent permet une tranquillité d'esprit, une liberté d'action, une liberté de vivre. Il permet de faire en sorte que vous ne faites pas qu'exister ou survivre ; il vous permet de vivre et de respirer.

C'est fondamental. Vous devez penser à cette notion avant de faire le choix, au nom de la famille, de quitter un emploi avec tous ses avantages sociaux, son fonds de pension et ainsi de suite. Il y a plusieurs possibilités : établir une entente écrite avec votre conjoint, par exemple, peut être une bonne option ou, encore, réduire vos heures au travail sans nécessairement tout quitter. Avant de dire oui et de tout laisser par amour pour les autres, regardez plus loin et prenez le temps de vous demander ce que vous voulez.

En second lieu: les conflits.

Être bon ne veut pas dire être bonasse. Cette bonté excessive est légitime et c'est une belle façon de se protéger. Cependant, vous ne pouvez pas continuer d'avancer tant que vous ne reconnaissez pas pleinement qui vous êtes. La situation est bien souvent déjà dans le chaos. L'autre est déjà blessé et les discussions, quand il y en a, sont trop souvent basées sur des accusations. Alors, que protégez-vous? La relation, il n'y en a plus. Votre équilibre est déjà ébranlé. Vous ne voulez pas froisser ou empirer les choses? Soyons sérieux, est-ce que ça peut vraiment être pire? La beauté dans tout ça, c'est le chaos. C'est le signe que l'équilibre a été secoué et que vous êtes en voie de le retrouver. Quand vous apportez des changements dans votre vie, il est certain que certaines choses autour de vous vont être ébranlées.

Il est primordial de ne pas vous mettre en dernier sur la liste. Souvenez-vous que, si vous ne mettez pas votre masque à oxygène en premier, vous aurez des petits problèmes techniques plus tard. Vous avez le droit d'être respectée et tout cela commence par le respect de soi-même. Une belle façon de se respecter est de faire face aux situations. Il y a un dicton qui dit: *«Ce que tu fuis te poursuit et ce à quoi tu fais face s'efface.»* En évitant le conflit, vous lui tournez le dos et ne pouvez le voir venir et en observer toutes les facettes.

Vous croyez être en contrôle et pensez préserver votre équilibre, mais en réalité, vous n'y êtes pas du tout et votre équilibre en est affecté. En faisant face à la situation, vous pouvez certainement voir des choses que vous n'aviez pas vues auparavant ou vous pouvez encore la regarder d'une autre façon, avec une autre perspective. Bien souvent, le simple fait de faire face à la situation est suffisant pour envoyer le message clair à l'autre que nous avons décidé de nous occuper de nos affaires, de nous respecter et cela inspire le respect en retour.

Il y a une grosse distinction à faire entre faire face aux conflits et alimenter les conflits.

Faire face à une situation consiste à la regarder telle qu'elle est et y voir ce qu'elle vous apporte. Et si la situation inclut d'avoir recours à la justice pour protéger les droits de ceux que vous aimez, alors faites-le. Par exemple, dans ma situation, j'apprends à me respecter et à poser mes limites. Si personne ne vient me confronter et m'accuser, comment est-ce que je peux apprendre à dire: « C'est assez! Non, je ne veux pas de ça dans ma vie, un point c'est tout. » Cependant, quand cela enfreint les droits de la personne, c'est là que la justice doit intervenir.

L'alimentation du conflit, quant à lui, est propulsée par l'ego. C'est vouloir avoir le dernier mot, le pouvoir, avoir raison. C'est vouloir prouver à l'autre qu'il a tort et que nous avons raison. Tout cela sert uniquement à nourrir notre ego. Cela démontre simplement que nous avons peur d'être inférieures aux autres.

Exercice

Il y a trois façons de réagir face à un conflit: soit vous le fuyez, soit vous lui faites face, soit vous l'alimentez.

Choisissez des événements conflictuels pour chaque situation et remarquez la différence entre les résultats que vous avez obtenus selon votre action.

- J'ai fui lorsque...

  Et le résultat a été...

- J'ai alimenté lorsque...

  Et le résultat a été...

- J'ai fait face lorsque...

  Et le résultat a été...

Bien souvent, quand nous fuyons, nous sommes momentanément en paix intérieurement, puis la situation se reproduit de nouveau et le tout recommence en un éternel cercle vicieux.

Quand nous nourrissons le conflit, la situation s'aggrave et la dispute prend une ampleur souvent démesurée. Cela se termine bien souvent avec des échanges blessants qui dépassent notre pensée et que nous regrettons par la suite.

Quand nous faisons face, nous arrêtons l'hémorragie et la situation ne prend pas une tournure de film d'horreur. Nous nous faisons respecter et nous envoyons un message clair à l'autre personne pour la prochaine fois.

Voici un petit exemple: si je parle à une personne au téléphone et qu'elle élève la voix, je la préviens que, si elle n'emploie pas un ton respectueux, je vais raccrocher. Si elle continue, je raccroche. Il m'est déjà arrivé de ne même pas aviser la personne avant de raccrocher. La dame était tellement en colère qu'elle n'entendait rien. Dans de tels cas, je raccroche tout simplement. Et j'ai souvent entendu: «Tu m'as raccroché la ligne au nez! Cr*#$@!$!#». Non, je me suis respectée, un point, c'est tout.

Un jour, après avoir avisé une dame hystérique au téléphone, j'ai raccroché. La dame me rappelle pour me dire: « Je crois que vous avez accroché un bouton, la ligne s'est coupée.» J'ai alors dit à la dame: «Non, madame, j'ai simplement raccroché parce que vous m'avez manqué de respect. Si vous élevez la voix encore une fois, je vais raccrocher de nouveau.» La dame s'est remise à crier au bout du fil. Et j'ai raccroché. Fin de la discussion.

Pour quelle bonne raison devrions-nous tolérer ce genre d'attitude dans notre vie? AUCUNE. Nous accordons le respect aux autres et à nous-mêmes et nous voulons le respect en retour.

N'oubliez pas une chose: quand les gens sont en colère et qu'ils disent des mots blessants, des coups de poing au cerveau et au cœur, comme je les appelle, ÇA N'A RIEN À VOIR AVEC VOUS! Oui, vous avez bien lu: ÇA N'A RIEN À VOIR AVEC VOUS! Ces mots ne vous sont pas destinés et cette colère est la leur, pas la vôtre. Nous y reviendrons bientôt.

Chapitre 13

Qu'il mange de la «marde»!

JE SUIS SOUS LA DOUCHE ET J'ENTENDS DU BRUIT. QUELQU'UN vient d'entrer chez moi.

– Allô?

– *Ouin*, c'est moi.

Ah! merde, qu'est-ce qu'il fait ici? Je n'avais pas verrouillé la porte.

– Salut! Donne-moi deux minutes, j'arrive.

Je sors de la douche, je m'habille en vitesse et me prépare. Je me prépare – je ne sèche pas mes cheveux et je ne me maquille pas – je me prépare psychologiquement à l'accueillir. Il est venu le temps de mettre en application toutes les notions que j'ai apprises. Je respire, je m'enracine, comme Éléonore me l'a appris, de grandes racines bien profondes dans la terre. Je respire encore. Je parle à toute mon équipe virtuelle, mes anges. Je leur demande de me protéger, de me guider à trouver les bons mots.

Je ne sais pas pourquoi, mais chaque fois que j'ai à lui parler, je deviens complètement fébrile et j'en perds mes mots. Il a ce don de me retourner la situation entre les mains et je finis bien souvent la discussion en pensant que c'est ma faute et que c'est moi qui ai tort. Je me demande encore comment il fait pour avoir autant d'emprise sur moi. Nous ne vivons plus ensemble et, malgré la séparation, je vis encore très mal ce genre de situation. Je ne sais même pas de quoi il veut me parler, mais j'anticipe déjà. Je reprends les respirations, je me calme et seulement quand je me sens assez solide, je sors de la salle de bain.

– Salut! dis-je la première.

Il est assis là à ma table de cuisine, chez moi, dans mes affaires, sans mon invitation. Assis bien confortablement le bras sur le haut de la chaise, une posture qui me démontre qu'il est en pleine possession de ses moyens. Son non-verbal m'intimide, mais je ne démontre rien. Puis, je ne me souviens plus du reste. J'ai complètement oublié les mots et la raison pour laquelle il est venu chez moi. La seule chose dont je me souviens, c'est de n'avoir à peu près rien dit à l'exception d'avoir répété trois fois calmement: «Je ne t'ai pas invité, tu es ici chez moi et si tu ne sors pas, j'appelle la police.» Après la troisième fois, il s'est levé, il a mis la main dans la poche de son jeans et il a lancé une poignée de monnaie sur la table de la cuisine. Puis il a ajouté: «Tu en auras besoin.»

Quatre mots. Quatre petits mots. Quatre mots qui me feront plier en quatre.

Quatre mots qui me tortureront de douleur.

Aussitôt la porte refermée, je me suis écroulée. Je me suis mise à pleurer à grands sanglots. Je n'arrivais plus à respirer. J'aurais voulu pleurer plus vite et plus fort, mais mon corps en était incapable. J'étais, une fois de plus, démolie, anéantie. Je suis restée accroupie dans le coin de la porte de la cuisine pendant un bon moment. Je ne sais plus combien de minutes ou d'heures se sont écoulées. Le temps n'existait plus. Mon univers non plus. J'étais de nouveau dans le vide, dans le déséquilibre total. Au bout d'un moment, je suis revenue à moi, j'ai recommencé à respirer et mon corps s'est lentement décontracté. Je me suis relevée et j'ai dit à haute voix : «Là, c'est assez! Qu'il mange de la «marde»! Ça va faire!» Sûrement que mon inconscient a préféré que je ne me souvienne plus de tout ce qui s'est dit, peut-être était-ce mieux ainsi. Heureusement, j'ai su tenir bon devant lui et mon écroulement aura duré beaucoup moins longtemps que les autres fois. Merci, Éléonore et toute mon équipe virtuelle, merci à moi-même de m'être donné tous ces beaux outils. Sans tout cela, je me serais anéantie au premier mot et j'aurais certainement réagi fortement. Ce qui aurait alimenté le conflit et l'aurait emmené à un autre niveau que je n'ai pas envie de découvrir. Cependant, cet événement aura eu l'effet d'une bombe dans ma vie. J'ai décroché le téléphone et j'ai appelé l'aide juridique. Assez, c'est assez! Pour mon bien et celui de mes enfants, je refuse ce genre de comportement dans ma vie et je ne veux plus que ça se reproduise.

Mot de la coach

Le *concept* qu'il mange de la « marde » permet un détachement et une reprise de ses moyens. Sans s'y enliser, il peut être parfois très utile d'utiliser cette méthode. Les mots prononcés ne sont pas destinés à la personne elle-même, mais plutôt à notre tolérance beaucoup trop éponge à certains moments. Cette méthode nous permet aussi d'agir sans être sous l'emprise des émotions et de la peur de blesser.

Faire valoir nos droits et ceux de nos enfants est une preuve de respect de soi et de ceux qu'on aime. Oui, il faut du courage et il y a aussi plusieurs ressources, comme l'aide juridique pour les femmes qui ont des moyens plus restreints. Il est important de reconnaitre que, peu importe qui a pris la décision d'interrompre la relation, chacun a des droits. Que les décisions prises pendant que nous étions en relations étaient, somme toute, bonnes pour tout le monde et qu'elles doivent être préservées pour le bien de tous. Je ne parle pas ici d'abuser du statut social de l'un ou de l'autre, je parle simplement d'agir en êtres humains responsables avec du gros bon sens.

La manipulation peut prendre plusieurs formes. La manipulation émotive, ou chantage émotif, est une forme très répandue. Elle crée chez l'autre de la culpabilité ou du doute et la personne ne répond plus de ses moyens. Elle se sent démunie, diminuée ou rabaissée. Ce faisant, comme elle doute de ses capacités, elle perd ses manières de faire en ne réagissant plus. Elle prend alors le blâme sur elle et, finalement, en déduit qu'elle est responsable de la situation. Ce qui est totalement faux.

J'aime bien dire: « It takes two to tango ». *Nous devons être deux pour danser le tango.* Dans une situation, peu importe laquelle, nous sommes au minimum deux. On ne peut pas se quereller avec soi-même; bon, certains diront que oui dans certains cas, mais il n'est pas question de cela ici! Dans un cas de manipulation, il faut être deux: un manipulateur et une victime. Personne ne peut vous manipuler si vous ne le laissez pas faire. C'est comme faire le tapis, vous vous souvenez? Dans les cas de la manipulation, c'est une relation dominant-dominé. Il faut un dominant et un dominé, sinon ça ne fonctionne pas.

~

Pour se sortir d'un cercle vicieux comme celui de la manipulation, il est important de ne pas se placer en position de victime. Dans le coaching, nous appelons cela le triangle infernal: *Victime-Bourreau-Sauveur.*

Je vous l'explique à l'aide du graphique suivant qui vous aidera à comprendre.

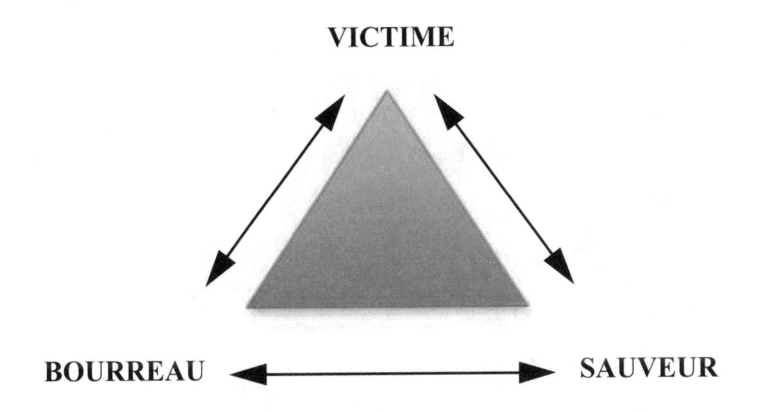

L'un ne va pas sans l'autre. C'est un processus qui se reproduit à l'intérieur de soi, avec soi-même ou à l'extérieur de soi, avec les autres.

Victime

Elle cherche à nourrir son besoin d'attention.

- Elle se plaint.
- Elle est passive.
- Elle se dévalorise.
- Elle épuise son entourage et responsabilise l'autre.

Sentiments associés: dévalorisation de soi, de l'autre et du monde, en général. Elle vit souvent le rejet, se sent observée et jugée régulièrement.

Bourreau

Il cherche à retrouver son pouvoir.

– Il est dans le combat.

– Il juge et critique.

– Il est agressif.

– Il culpabilise l'autre et lui-même.

Sentiments associés : colère, frustration, agressivité et envie de vengeance.

Sauveur

Il cherche à être reconnu de ses pairs et à être aimé.

– Il est généreux et fiable.

– Il aime rendre service.

– Il est incapable de dire non.

– Il rend les autres dépendants de lui.

Sentiments associés : culpabilité, impuissance et doute.

Voici un exemple

Une mère voit son fils ou sa fille vivre de la peine et une situation difficile.

La mère arrive en courant et dit à son enfant (le sauveur est souvent le rôle préféré des mamans) : «Oh! pauvre toi, ce n'est pas drôle ce que tu vis. Est-ce que je peux faire quelque chose pour t'aider?» *(Qu'est-ce que je peux faire pour prendre ta peine ou ton mal? Je pense que tu n'es pas assez intelligent pour t'occuper de la situation tout seul.)* C'est un peu ce que sous-entend le message du sauveur.

Si l'enfant n'a pas vraiment demandé d'aide d'une façon claire et que le sauveur veut le «sauver», il y a de fortes probabilités que l'enfant se retourne contre cette personne et devienne son bourreau. «Je ne t'ai rien demandé, qu'est-ce que tu veux? Mêle-toi de tes affaires!»

Et là, c'est peut-être la mère qui tombera dans le rôle de la victime: «C'est ça, je veux juste t'aider et tu refuses mon aide.» *Pauvre de petit moi,* comme dirait Sol.

Les rôles s'enchainent les uns à la suite des autres dans un cycle infini. Cela se produit à différents niveaux et dans beaucoup, beaucoup, de relations. Nous le faisons régulièrement avec nous-mêmes par nos pensées. Par exemple, j'ai fait une erreur dans une situation X et je me tape sur la tête. *Je n'ai pas été bonne,* à quoi ai-je pensé. Je suis mon propre bourreau. Puis, au bout d'un moment, je risque sûrement de me dire: *Ah! ça m'arrive chaque fois. Pourquoi? Ce n'est pas juste!* Je tombe dans le rôle de la victime avec moi-même. Vous comprenez certainement.

Dans ma situation, illustrée plus haut, si je choisis de me placer en position de victime devant lui, je donne du pouvoir au rôle de bourreau. Comme je ne réagis pas, le bourreau n'a pas d'emprise et la situation s'arrête.

Pour sortir de ce cycle infernal, il est important de bien communiquer.

Dans l'exemple de la mère, au lieu d'aller sauver son enfant sans savoir s'il veut de l'aide, il serait préférable de dire: «Mon enfant, as-tu envie d'en parler?» Si c'est oui, on s'assoit et on écoute. Si c'est non, on respecte le choix de son enfant. «Si tu as besoin, sache que je suis là.» Et c'est tout, on s'en va. Nos enfants ont besoin de faire leurs apprentissages par eux-mêmes. Nous ne pourrons pas leur éviter toutes les peines, c'est impossible.

Dans l'exemple avec soi-même, en quoi est-ce utile de se taper sur la tête? EN RIEN. Alors on arrête ça tout de suite. L'erreur est humaine, ce n'est pas la fin du monde, on passe à un autre appel. D'autant plus qu'en PNL, programmation neurolinguistique, on dit qu'il n'y a pas d'erreurs, il n'y a que du «feedback». Eh oui, vous avez appris quelque chose de cette situation. Prenez le cadeau et continuez. De toute façon, personne n'a le pouvoir de réécrire l'histoire. Alors il ne sert à rien de répéter le scénario jusqu'à épuisement.

Apprendre à exprimer clairement ses besoins est un beau défi. De plus, cela permet d'être mieux compris, d'être plus entendu et, surtout, d'éviter de tomber dans le cycle vicieux et infernal qu'est le triangle *Victime-Bourreau-Sauveur.*

QUATRIÈME PARTIE

APRÈS LA PLUIE, LE BEAU TEMPS

Chapitre 14

Retrouver l'équilibre, refaire son nid

APRÈS TOUT CE «BRANLE-BAS DE COMBAT», JE ME SUIS retrouvée. La poussière est retombée, comme on dit. J'ai renoué avec qui j'étais réellement et ce que j'aimais. J'ai pris conscience de mes valeurs, celles qui étaient fondamentalement importantes pour moi. J'ai compris davantage quelles étaient mes limites et appris à mieux les respecter. Un pas à la fois. J'ai reconstruit mon nid petit à petit. Je me suis refait une vie à ma couleur. Une vie qui me ressemble.

J'ai fait la connaissance des nouvelles possibilités qui sommeillaient en moi. Nous sommes une infinité de possibilités. Il suffit parfois de s'accorder le droit de s'aimer suffisamment pour découvrir toutes les belles facettes de notre personnalité. Et d'apprendre à aimer aussi celles que l'on préférerait ne pas avoir. Vous savez, nous avons toutes des facettes de notre personnalité que nous aimerions larguer à la mer, cependant elles font partie de nous et plus nous les refusons, plus elles sentent le besoin de se manifester. Le plus étrange, c'est que bien souvent nous avons terriblement peur de celles qui sont grandioses.

Mandela a dit ceci: «En faisant scintiller notre lumière, nous offrons aux autres la possibilité d'en faire autant.»

Nous avons souvent peur de faire scintiller notre lumière, d'affirmer que nous sommes une belle personne. Pour ma part, j'avais peur de me développer un gros ego. J'avais la nette impression que, si je reconnaissais mes grandes forces et les beaux aspects de ma personnalité, ce serait vu comme étant de la vantardise. Cependant, il n'en est rien.

Savoir reconnaitre la beauté de notre âme n'a rien à voir avec l'ego. C'est nous permettre d'être pleinement la belle personne que nous sommes. C'est aussi reconnaitre notre juste valeur, nous aimer tout entières, comme nous le ferions pour notre amoureux, notre enfant ou notre meilleure amie. Reconnaitre notre juste valeur et nous aimer pleinement rend tout possible. Cela permet d'arrêter de chercher notre validation dans le regard des autres et nous permet de reconnaitre que nous sommes notre propre prince charmant. J'ai longtemps cherché ma solution chez les autres et je me suis souvent trompée, puisque ma solution n'était nulle part ailleurs qu'à l'intérieur de moi. En la cherchant chez les autres, je remettais mon pouvoir entre les mains d'autrui. L'autre ne peut savoir ce qui est bon pour moi. Il n'est pas moi! *Vous seule savez ce qui est bon pour vous.*

Ma mère me disait tout le temps: «Après la pluie, le beau temps!» Quand j'étais petite fille, je ne comprenais pas vraiment toute la signification de cette phrase. Je l'ai entendue plusieurs fois. Cependant, je ne saisissais pas vraiment la profondeur de cette petite maxime qui semble si banale en apparence. Je peux constater que, dans la nature, il y a parfois des orages et qu'ensuite le beau temps revient. C'est un phénomène que l'on considère comme normal et un cycle naturel que l'on observe régulièrement.

Mais en y regardant de plus près et en s'y arrêtant un peu, nous réalisons que le mauvais temps est même nécessaire à la nature pour évoluer. Après les grands feux de forêt, il y a renaissance. Lors des grands jours de tempête, le vent transporte parfois les semences en des terres encore plus fertiles, la pluie voit à bien les faire pénétrer dans la terre afin qu'elles prennent vie. C'est seulement à la suite de ce processus que le soleil gagne à faire briller ses rayons tout chauds pour faire croitre cette belle nature! Dans notre vie, c'est la même chose. L'orage nous transporte parfois ailleurs et la pluie nous enracine encore plus profondément pour que nous soyons enfin prêtes à bénéficier des rayons doux du soleil.

Je le dis souvent: «Tout est parfait tel qu'il est, au moment où il est!»

Retrouver son équilibre, c'est l'histoire d'une vie. Tout est une question d'équilibre, selon moi, dans tout ce que nous entreprenons. Et la vie elle-même est une question d'équilibre. Juste assez de pluie et juste assez de soleil. Le jour n'existe pas sans la nuit. L'ombre n'est présente que si elle est accompagnée de la lumière. Bien manger et pas trop. Je disais souvent à mes enfants que des carottes, c'est bon pour la santé; deux kilos de carottes, c'est trop. Un verre de vin, c'est bon, trois bouteilles, c'est trop. Un morceau de chocolat, c'est bon, quatre tablettes de chocolat, ça donne mal au cœur! Et ainsi de suite.

Tout est question d'équilibre. L'être humain, selon moi, est en quête perpétuelle d'un équilibre. Toute ma vie, j'ai cherché cela. Et quand ce dernier devient ébranlé, je ne sais plus où regarder. Je me sens perdue. Aujourd'hui, je sais qu'un équilibre de vie, c'est précaire. C'est comme un jardin, nous devons l'entretenir. Être une maman, c'est génial, mais être juste une mère crée un déséquilibre. Penser à soi, c'est nécessaire, penser juste à soi devient de l'égocentrisme. Chaque facette de notre personnalité a besoin d'avoir sa place. J'ai besoin de faire ressortir la petite fille en moi afin de m'émerveiller. Cependant, si ma petite fille est trop présente, je ferai peut-être des crises pour un rien. Je reviendrai sur les facettes de nous-mêmes un peu plus loin.

J'ai appris une chose importante avec les années: quand mon équilibre de vie est déstabilisé, c'est un signe que je suis en train de grandir.

Imaginez que vous avez une petite plante à la maison: vous l'entretenez depuis un bon bout de temps, vous lui donnez de l'eau, de l'amour, vous la mettez au bord de la fenêtre pour qu'elle profite de la chaleur et du soleil. Puis vient un jour où elle a besoin d'être transplantée dans un pot plus grand. Quelle secousse vous lui faites vivre à cette petite plante! Peut-être étaitelle tout confort dans son petit pot? Peut-être qu'elle ne sentait pas le besoin d'avoir plus d'espace. Elle ne se posait pas de questions, elle existait tout simplement et elle avait sûrement l'impression d'être heureuse.

Et puis vous, un jour, vous décidez de la sortir de son pot. Vous bousculez ses racines et vous l'envoyez dans un plus grand contenant avec de la nouvelle terre, de nouveaux minéraux et de nouvelles vitamines. Elle se demande certainement ce que vous êtes en train de lui faire vivre! Cependant, vous savez que c'est bon pour elle, qu'elle aura plus de place pour grandir et que, de cette façon, elle pourra se développer pleinement. Vous savez bien que, si vous la laissez dans son petit pot, elle ne pourra jamais fleurir et elle s'affaiblira. Puis, quelques jours après s'être installée dans son nouveau chez-soi, votre petite plante s'enracine encore plus profondément dans la terre. Elle sera encore plus forte et retrouvera peu à peu son équilibre. Tout comme vous, vous tirerez des apprentissages de ces événements afin d'en sortir encore plus forte et bien mieux enracinée.

Votre petite plante vit un déséquilibre, elle aussi, tout comme vous dans les moments les plus difficiles de votre vie. Dites-vous que, dans ces moments-là, c'est la vie qui est en train de vous changer de pot. Grâce à ces événements, vous pourrez grandir encore plus et fleurir abondamment!

Mot de la coach

Pour se recentrer sur soi, il est important selon moi de s'accorder du temps, des moments juste à soi pour se faire du bien et prendre le temps de se questionner.

– Qu'est-ce que j'aime?

– Qu'est-ce que je veux?

S'accorder des moments pour soi est ce que j'appelle de l'*égoïsme sain*. Je sais que vous avez sûrement entendu à maintes reprises que penser à soi était égoïste. Cependant, je ne vous parle pas ici de penser uniquement à vous sans tenir compte des autres, mais de prendre du temps pour vous. Ici encore, c'est une question d'équilibre. L'égoïsme sain vous permettra de vous refaire des forces, de vous connaitre mieux, de recharger votre « batterie », de vous aimer. Vous accordez du temps à votre amie quand elle a besoin de parler, vous prenez le temps d'un café pour discuter avec elle et lui faire du bien.

Qu'est-ce qui vous empêche de le faire pour vous-même? Vous faire couler un bon bain et relaxer. Vous faire un bon café et prendre un moment pour discuter avec vous-même. Pour faire le point, savoir où vous en êtes rendue, ce qu'il y a à améliorer pour que ce soit encore plus amusant, plus intéressant, plus satisfaisant.

Ce que j'adore faire, ce sont des tableaux de visualisation. C'est un exercice que je fais dans presque tous mes ateliers.

Cela permet de mettre en couleur et en évidence ce que je veux. Ou, encore, j'utilise une application qui s'appelle « Mindmap » sur mon iPad. C'est un outil qui permet de faire des schémas heuristiques. Si vous n'avez pas de iPad, ce n'est pas grave, vous le dessinez tout simplement. Voici comment.

⁓

Vous faites un cercle au milieu d'une page et vous y inscrivez le titre de votre tableau. Par exemple, des projets, ce que vous voulez, ce que vous aimez, argent, travail, *etc.*

Ensuite, vous répétez le mot à haute voix et vous écrivez tout autour du cercle tout ce qui vous passe par la tête. Tous les mots qui vous viennent à l'esprit, sans vous censurer. À la fin, ça vous donne un soleil avec différents rayons qui vous démontre votre image intérieure du sujet qui se trouve au centre. Parfois, vous découvrirez des choses plutôt surprenantes!

Un autre petit jeu que j'aime bien est celui de la baguette magique.

- Si vous aviez une baguette magique qui vous permettrait de rendre tout possible, quels beaux changements surviendraient dans votre vie? Comment votre expérience de vie se transformerait-elle?
- Qu'est-ce que vous voyez dans cette nouvelle vie? Décrivez ce que vous voyez: le paysage, les gens autour de vous, la nature.
- Qu'est-ce que vous entendez? Y a-t-il du bruit, de la musique, du silence?
- Qu'est-ce que vous ressentez à l'intérieur de vous? Vous êtes calme, euphorique, ça vibre dans votre corps?

- Si j'étais un oiseau sur le bord de votre fenêtre qui vous observe, qu'est-ce que je pourrais constater et remarquer de changement sur votre personne? Qu'est-ce que je verrais? Votre posture est-elle plus droite, souriez-vous, marchez-vous plus rapidement, jouez-vous avec vos enfants, vos épaules sont-elles détendues, avez-vous de nouveaux vêtements, avez-vous changé votre coiffure, vos yeux brillent-ils?

Nous agissons dans notre vie en fonction de nos croyances et de nos peurs. Tout cela affecte notre comportement, les décisions que nous prenons ainsi que notre attitude.

- Si, avec la baguette magique, il n'y avait plus de limites, comment votre attitude changerait-elle? Que feriez-vous que vous ne faisiez pas avant?

Donnez-vous des ailes et faites-les battre pour faire scintiller votre lumière!

Chapitre 15

Se refaire une vie

«VRAIMENT, PENSES-Y SÉRIEUSEMENT! JE SUIS UN GROS *package.* Je ne viens pas toute seule. Je viens avec un troupeau d'enfants, ce n'est peut-être pas une mince affaire pour toi», lui dis-je. Un sourire se dessine sur ses lèvres. Le regard pétillant de ses yeux verts vient de m'offrir un magnifique cadeau. Il dépose doucement ses grosses mains robustes de chaque côté de mon visage en me caressant la joue de son pouce droit. La tendresse de son geste apaise mon cœur encore fragile et apeuré. La chaleur de ses mains me réchauffe et me sécurise.

Tout mon corps est à l'écoute de cette douceur mielleuse et enivrante. Je me sens fondre lentement comme un caramel au soleil. «Je t'ai toujours aimée. Avec ou sans enfants, c'est avec toi que j'ai envie d'être», qu'il me répond. Le bonheur dans mon cœur gonfle et grandit, se frayant un chemin jusqu'à mes yeux pour se libérer du trop-plein et couler lentement sur mes joues en dessinant l'amour délicatement... Comme une scène au ralenti, tout se déroule lentement. Il n'y a plus de son. Les images deviennent floues et brouillées par le voile qui a enveloppé mes yeux. Juste lui et moi. Rien d'autre. L'univers n'existe plus ou il existe en nous, il est nous. Juste nous.

Un long baiser tendre s'ensuit. Je me délecte de la saveur de sa salive, de la douceur de ses lèvres. J'ai soif de lui. J'aime l'embrasser. J'aime quand il m'embrasse. J'aime la caresse de ses mains sur mon visage, sur ma nuque et dans mes cheveux. Mon corps frissonne. Les yeux mi-clos, je savoure chaque seconde de cet instant magique, cet instant d'éternité. Le temps n'existe plus. Tout est ici et maintenant.

Quand il me serre dans ses bras, je me sens toute petite et grande en même temps, fragile et forte à la fois. Je sens la chaleur de nos plexus solaires qui communiquent ensemble. C'est un échange, un partage. C'est fascinant. Comme si une partie de moi entrait en lui et qu'une partie de lui entrait en moi. Une espèce de fusion des énergies qui nous relit l'un à l'autre.

Durant les douze années précédentes, il était mon ami, mon confident. Il a toujours été présent. Il est toujours présent pour m'aider et me soutenir. Jamais je n'aurais pensé. Je n'avais jamais même osé y penser. Il avait sa vie et j'avais la mienne. Il venait souper à la maison, m'aidait avec les enfants. Quand le souper était ramassé et les enfants couchés, il repartait chez lui et c'était ainsi. La simplicité, pas de questionnement, tout était parfait. Il est le parrain de ma fille, c'est dire comme les événements de la vie peuvent parfois être étonnants. Qui l'aurait cru! Plusieurs de mes amis diront que c'était écrit dans le ciel. Sûrement! J'aime croire à cette idée.

Longtemps, nous nous sommes questionnés. Comment se fait-il que nous ayons attendu tant d'années pour nous retrouver? Chaque fois, je répondrai que nous avions des apprentissages à faire chacun de son côté afin de savourer pleinement cette relation à sa juste valeur.

Je le dis souvent et j'y crois sincèrement: «Tout est parfait tel qu'il est, au moment où il est.»

MOT DE LA COACH

Se refaire une vie après les épreuves, c'est possible! Il y a bien sûr beaucoup d'étapes: se retrouver, se réinstaller, retrouver son équilibre. Il importe aussi de se reconstruire émotivement, psychologiquement et parfois financièrement.

Quand nous avons reçu des messages qui ne valorisaient pas qui nous sommes, qui minaient notre confiance et notre estime de soi, il est doublement important de prendre du temps pour soi et d'oser demander de l'aide. Il y a plusieurs ressources comme les maisons pour femmes, des lieux où vous pouvez discuter de votre situation, participer à des ateliers ou des cours qui vous permettront de vous remettre au centre de votre vie et de retrouver votre équilibre. Le coaching est une option vraiment intéressante également.

Je sais par expérience que les femmes, particulièrement celles atteintes du syndrome de la «superwoman», ont tendance à croire qu'elles peuvent s'en sortir sans aide extérieure. Et, bien souvent, nous croyons que nous sommes seules à vivre cette situation. Eh bien, mesdames, vous n'êtes pas seules! Des milliers de femmes ont vécu ce genre d'histoire. Pas toutes de la même façon, c'est vrai, puisque chaque histoire est unique, mais chaque histoire se ressemble aussi.

Être démolie par les événements de la vie est encore un phénomène trop répandu. Nous en parlons encore trop peu, comme si c'était mal vu ou qu'il y avait une sorte de tabou autour de la question. Serait-ce de l'orgueil mal placé? Le syndrome de la «superwoman» encore trop présent? Je ne sais pas. Ce que je sais, par contre, c'est que nous devons en parler, en parler et en parler. Plus nous en parlerons et plus les femmes pourront se libérer de cette emprise qui nous colle à la peau encore trop souvent.

Quand je donne des ateliers FAM, « Parce qu'une Femme Accomplie c'est Magnifique », je fais une récapitulation de la situation de la femme au Québec. Il est étonnant de constater que, dans notre histoire jeune de quatre cents ans, les femmes sont « libres » depuis à peine cinquante ans. Cette image de la femme à la maison, celle qui n'a pas le « droit » à son opinion, à ses idées et à ses rêves, et qui est une femme honorable si elle s'occupe de ses enfants et de son mari, est encore trop omniprésente dans notre société que l'on dit évoluée. Je constate ce phénomène même chez les jeunes femmes de la nouvelle génération. Mais attention, je ne suis pas en train de dire que ce n'est pas louable, bien au contraire.

C'est la mentalité derrière le geste qui me questionne. Je suis la première à affirmer qu'il serait plus que temps que les femmes qui font le choix d'être présentes pour leurs enfants à la maison devraient être rémunérées. Elles éduquent notre génération future. C'est crucial. Je crois aussi qu'il est tout à fait sain et profitable pour tous que les enfants puissent grandir au sein de la famille le plus longtemps possible.

Là où j'ai un *bémol,* c'est sur l'inéquité qui en résulte. Malgré le discours « libéré » des jeunes femmes, les comportements ne sont pas toujours cohérents avec ce même discours. Comme on dit en québécois : « Les bottines ne suivent pas toujours les babines ! »

En fait, ce n'est pas vraiment étonnant. Si l'on met sur une ligne du temps de quatre cents ans, un trait en 1960, là où la religion a « cessé » d'exercer son plein pouvoir partout, on s'aperçoit assez rapidement du déséquilibre.

Le retour du balancier n'est pas encore arrivé, cependant nous nous en approchons. Plus les femmes reconnaitront leur valeur, leur mérite et leurs forces, plus elles progresseront vers une équité.

« Appeler les femmes le sexe faible est une diffamation, c'est l'injustice de l'homme envers la femme. Si la non-violence est la loi de l'humanité, l'avenir appartient aux femmes. »

– Gandhi

Exercice

Eckhart Tolle dirait : « Observez le penseur. »

Oui, observez votre penseur intérieur, votre mental. C'est un petit coquin, ce mental que l'on croit contrôler et bien utiliser. Je regrette de devoir vous informer que votre mental vous utilise bien plus souvent que vous ne l'utilisez.

- Quand vous observez vos pensées au quotidien, y a-t-il des choses que vous vous dites intérieurement et que vous ne mettez pas en pratique?

Par exemple, dans mon cas, j'affirmais bien souvent qu'il était important de dire ce que l'on pense et de s'assumer. Et pourtant, j'ai passé bien des années à ne pas le faire. Je n'osais révéler le fond de ma pensée de peur d'être blessée, d'être rejetée ou de créer des conflits. J'étais une championne pour répéter l'opinion des autres, la défendre afin qu'ils soient respectés. Cependant, je ne me respectais pas moi-même.

Je vous invite à prendre quelques minutes par jour pour écouter attentivement votre penseur.

- Que vous dit-il? Qu'est-ce qu'il veut vous fait croire?
- Quelle serait la première petite chose que vous pourriez mettre en application dans votre vie afin de respecter vos paroles?

Par exemple, si je répète à mes amies que dire non, c'est sain, est-ce que je réponds oui quand j'ai envie de répondre non? Si c'est le cas, alors je pourrais commencer par simplement demander un temps de réflexion avant d'accepter une proposition. De cette façon, je me donne le temps de m'interroger et de valider avec moi-même si j'en ai vraiment envie. Ainsi, ça m'enlève de la pression et j'ai un moment pour m'assurer que ma réponse sera cohérente avec moi et mes envies.

C'est avec les petites réussites que nous atteignons le sommet de la gloire! Un pas à la fois, je rejoins le sommet. Si je regarde en haut de la montagne au départ, il est possible que je me décourage. Je me concentre sur un pas à la fois, je prends le temps d'admirer la nature autour de moi et le chemin devient beaucoup plus agréable. Parfois, quand je suis essoufflée, je prends une pause pour regarder tout le chemin déjà parcouru et je me félicite. Puis je continue, toujours un pas à la fois.

Bonne ascension vers votre bonheur!

« Un voyage de mille lieues commence toujours par un premier pas. »

– Lao Tseu

Chapitre 16

Test: un deux, un deux

Il y a déjà quelques mois que je suis séparée. Nous avons une entente de garde partagée. La situation va tout de même assez bien. Ce n'est pas la parfaite harmonie, mais nous trouvons le moyen de nous organiser. Comme chaque fin de mois est devenue un supplice et que les cours de peinture ne me permettent plus de subvenir aux besoins de ma grande famille, j'ai décidé de retourner sur les bancs d'école. J'adore étudier. Ce n'est donc pas une corvée pour moi, mais plutôt une partie de plaisir. Une formation intensive de six mois en tourisme au collège April Fortier.

Je suis une passionnée des voyages autant que des arts, alors je me délecte à chaque journée de cours. J'en mange et je me donne à fond. J'y fais des rencontres merveilleuses et ces nouveaux amis font encore partie de ma vie aujourd'hui. Je travaille tous les soirs jusqu'à minuit, parfois une heure du matin, pour faire mes travaux. La formation est à temps plein, alors ça me demande un tour de force pour parvenir à tout gérer: les enfants, les cours de peinture certains soirs de semaine, l'école le jour en plus des travaux d'équipe, bien sûr. Je fais toujours mes travaux d'équipe avec les mêmes personnes. Nous sommes un trio d'enfer et avons des projets plein la tête. Je suis heureuse. J'ai une gardienne extraordinaire qui m'aide avec les enfants et je plonge dans cette aventure avec tout mon cœur. Je finis parmi les premières de ma classe et je suis très fière de ma réussite, surtout quand j'évalue ma condition familiale et mon horaire de fou.

Aussitôt ma formation terminée, je décroche un emploi dans une agence à deux pas de chez moi. Je suis vraiment heureuse puisque je serai plus disponible pour les enfants. Comme mon horaire de travail débute à dix heures, j'ai tout le temps d'être avec eux le matin et d'aller les reconduire à l'école. J'adore mon nouvel emploi et je suis motivée par toute la nouveauté que cela m'apporte.

Au bout de quelques semaines seulement, l'agence me propose un voyage de reconnaissance à Cuba dans la région d'Holguin. WOW! Je suis vraiment excitée. Comme je suis une voyageuse d'aventure, je n'ai jamais séjourné dans un tout inclus. J'avais seulement voyagé avec mon sac à dos. Ma patronne trouve important que je sois au courant du fonctionnement afin d'être en mesure d'en parler adéquatement aux clients. Elle a bien raison, et cette proposition me fait grandement plaisir. Je suis vraiment heureuse, d'autant plus que c'est l'agence qui défraie les coûts. Quelle chance! Je me trouve vraiment privilégiée. Je ne suis jamais allée à Cuba, ce sera ma première expérience et je suis vraiment emballée par ce projet. J'annonce la merveilleuse nouvelle aux enfants.

Je dois aussi en parler à leur père puisque nos semaines respectives sont du dimanche au dimanche et que je serai de retour seulement le lundi. Je l'appelle pour lui expliquer la situation. J'aimerais qu'il m'accommode en gardant les enfants un jour de plus chez lui. «Pas question, qu'il me répond. Notre entente est du dimanche au dimanche, arrange-toi pour que quelqu'un soit chez toi dimanche soir, un point, c'est tout! Ce n'est sûrement pas moi qui vais t'aider.» Ouf! ma balloune vient de se dégonfler. Pwit, pwit, pwit...

C'était trop beau pour être vrai. Un petit nuage gris s'installe au-dessus de ma tête, faisant une ombre à mon beau projet, à ma bonne humeur, à ma joie de vivre, à mon élan de réalisation. Je me sens soudainement triste et dans la confusion. Je reçois ce refus comme un manque de considération et d'entraide pour le bien de nos enfants. Cela m'affecte beaucoup. Je me demande d'ailleurs pourquoi ça m'affecte tant. Je ne comprends pas. J'analyse le tout encore une fois, moi, la championne de l'analyse. Ce revers me touche profondément, comme si l'on venait de me dire: «Tu n'as pas le droit à tes rêves. Tu ne peux pas vivre un bonheur parfait, tu n'as pas le droit à ça, toi!» Je suis vraiment désorientée. Je n'ai plus ma gardienne et je n'ai pas vraiment les moyens d'en payer une de toute façon.

Pendant mon retour aux études, j'ai eu droit à un prêt et bourse en plus d'avoir contracté un prêt personnel avec l'aide d'un ami qui a bien voulu m'endosser pour m'aider et ainsi subvenir aux besoins de ma famille le temps que je retourne à l'école. Mais maintenant, il n'y a plus de fonds et j'ai un prêt à rembourser. Mon nouveau travail n'est pas encore très payant puisque je n'ai aucune expérience dans ce domaine. Alors je ne peux que péniblement rejoindre les deux bouts. Je fais encore de la gymnastique mentale pour arriver à la fin du mois. Cependant, j'ai l'esprit un peu plus en paix puisque j'ai maintenant un travail stable que j'aime. Ce voyage arrivait un peu comme la récompense de tous mes efforts et voilà que je pense que ce ne sera peut-être pas possible. Son commentaire me dérange au plus haut point. Je l'ai reçu droit au cœur. Je me sens personnellement attaquée et j'en fais toute une affaire. Mais pourquoi ça me dérange à ce point?

Mot de la coach

La vie vient souvent nous tester afin de vérifier si notre foi est bien solide. Si notre rêve est bien ancré. Comme une petite semence qui n'est qu'à la surface de la terre, elle peut soit être emportée par le vent, soit être mangée par un prédateur. Il est important d'être convaincue de notre destinée, de notre chemin et d'y croire jusqu'au fond de la moelle épinière. Il importe de ne pas seulement y croire dans notre tête, mais dans chacune de nos cellules. Est-ce que c'est bien ce que vous voulez? En êtes-vous vraiment convaincue?

Votre destination doit être bien claire et sans ambiguïté. Vous devez la ressentir au plus profond de votre âme et être bien certaine que c'est ce que vous voulez. Que vous le méritez!

Maintenant, abordons la notion de « prendre les choses personnellement ».

Souvenez-vous d'une phrase très importante: *Ça n'a rien à voir avec vous!* Ce que les gens vous disent, même si vous avez l'impression que c'est dirigé contre vous, n'a rien de personnel. Je sais, vous me direz: «Oui, sauf que lorsqu'il s'adresse à moi en parlant, c'est assez difficile de croire qu'il s'adresse à quelqu'un d'autre!» Vous avez le choix de le voir de cette façon ou de changer votre point de vue.

« Il n'est pas de vent favorable
pour celui qui ne sait pas où il va. »

– Sénèque

Par exemple, dans ma situation décrite plus haut, je suis convaincue que ses paroles sont dirigées contre moi. Cependant, si je change mon point de vue et que je me demande plutôt: *Quelle est la bonne intention cachée derrière son refus de m'aider?* Il est possible qu'il ait besoin de se valider comme étant celui qui respecte l'entente ou qu'il se sent blessé et que mon bonheur le confronte au sien ou, encore, tout simplement qu'il avait quelque chose de prévu et qu'il ne tenait pas à m'en parler. Peu importe sa raison, ce que je sais, c'est que personne ne se lève un matin en se disant: «Bon, aujourd'hui je vais faire de la peine à X» ou «Aujourd'hui, je m'engage à tomber sur les nerfs de X.» Bien voyons donc! Les gens sont assez préoccupés par leurs propres affaires qu'ils ne se soucient que rarement du sort des autres. Ils ont bien d'autres chats à fouetter que de focaliser leur attention sur une seule personne afin de lui nuire. Croire en cette possibilité, c'est, selon moi, s'accorder beaucoup trop d'importance!

Voici un autre exemple. Vous êtes en train de faire des courses et vous bousculez accidentellement quelqu'un au passage dans une allée. La dame se retourne et crie des bêtises en disant que vous n'avez pas fait attention, quel manque de respect, que vous ne savez pas vivre, bla bla bla. Vous voyez la scène? Cette femme s'est adressée à vous, c'est vrai, cependant ses paroles n'étaient pas dirigées vers vous. Elle a évacué sa colère sur vous. Elle vit probablement des choses difficiles et vous ne savez pas de quoi il s'agit. Elle mène son propre combat dans sa vie et l'accrochage a réveillé une blessure en elle. Ça n'a rien à voir avec vous.

Même quand il s'agit de votre enfant, votre parent, votre conjoint, votre supérieur, votre voisine: ÇA N'A RIEN À VOIR AVEC VOUS!

Dans le merveilleux livre *Les quatre accords toltèques*, Don Miguel Ruiz dit ceci: «Vous faites une affaire personnelle de ce qui vous est dit parce que vous y donnez votre accord. Dès lors, le poison s'infiltre en vous et vous êtes piégés dans l'enfer. La raison pour laquelle vous vous faites piéger est ce que l'on appelle l'«importance personnelle», c'est-à-dire l'importance que l'on se donne. S'accorder de l'importance, se prendre au sérieux ou faire de tout une affaire personnelle, voilà la plus grande manifestation d'égoïsme puisque nous partons du principe que tout ce qui arrive nous concerne. Au cours de notre domestication, nous apprenons à tout prendre pour soi. Nous pensons être responsables de tout. Moi, moi, moi et toujours moi!»

Ne laissez pas les autres vous injecter du poison et il en va de même dans l'autre sens, n'injectez pas votre poison aux autres. N'imposez pas aux autres votre façon de voir les choses. Chacun a sa façon de voir la vie, les événements, les rêves. Chacun vit dans SON monde selon ses croyances, ses valeurs, ses expériences. Partant de ce principe, l'autre ne peut pas savoir ce qui se passe dans VOTRE monde. Alors il me parle selon le sien. Ça n'a rien à voir avec vous!

Chapitre 17

La théorie de la bonne étoile

J'AI TOUJOURS CRU QUE J'ÉTAIS NÉE SOUS UNE BONNE ÉTOILE. Je ne sais pas pourquoi, mais j'y crois sincèrement. À la suite de ma séparation, je m'étais retrouvée sans emploi, car mon atelier d'art où j'enseignais la peinture était dans le sous-sol de notre maison. Plus de maison, plus d'atelier, plus de travail. J'ai donc proposé mes services à la Ville où j'habitais. Durant la journée d'inscription, une femme est venue me voir et elle m'a dit: «Je ne viens pas pour m'inscrire, je veux réquisitionner vos services pour un programme offert aux jeunes. J'aurais besoin de vous pour animer des ateliers dans sept écoles primaires de la région.» WOW! Je suis née sous une bonne étoile, j'en suis convaincue!

Avec les cours donnés pour la Ville et les ateliers dans les écoles primaires, mon horaire était presque complet. Il ne me restait de disponible que les mercredis. Quelques jours après la journée d'inscription à l'hôtel de ville, le téléphone sonne. La dame au bout du fil me dit: «Bonjour, j'ai obtenu votre nom d'une référence. Je suis en train de monter une école d'art et j'aimerais savoir si vous seriez intéressée à y donner des cours. Je n'ai qu'un petit problème, l'horaire est presque complet et je n'aurais que le mercredi de disponible à vous offrir.» WOW! Je n'en revenais pas! WAOUH! Je suis assurément née sous une bonne étoile!

Je suis venue au monde avec une force intérieure – chacun de nous en possède une – même si je l'ai oubliée pendant un certain nombre d'années. Il suffit parfois simplement d'aller à sa rencontre. Petite fille, j'étais convaincue que j'allais accomplir de grandes choses et j'y crois encore. Je ne sais pas pourquoi. Cependant, je sais que c'est très fort en moi.

Pendant des années, j'ai *dormi au gaz*. Je me suis laissé porter au gré du vent sans me questionner pour savoir si j'allais dans la bonne direction et si je faisais les bons choix pour moi. J'ai agi sur le pilote automatique en enfilant les événements de ma vie les uns après les autres, comme on enfile des boules sur un collier. Il me faudra plusieurs années avant de réaliser que chaque boule enfilée sur mon collier était une perle. Ces perles me guidaient vers ma destinée, sur mon chemin de vie.

Je crois que chaque être humain est né sous une bonne étoile, et comme dirait le Dalaï Lama: «Tout le monde a une bonne étoile, il n'y a que des gens qui ne savent pas lire le ciel.» Je ne savais pas encore lire le ciel. Nous ne savons pas lire notre carte du ciel tout simplement parce que personne ne nous l'a enseigné. On ne nous apprend pas à l'école comment lire et comprendre nos émotions, qui l'on est, comment écouter notre cœur et le suivre, comment faire la distinction entre notre intuition et un mauvais pressentiment. Le savoir-être, finalement.

Apprendre à être un humain dans une expérience d'être humain, c'est un peu comme devenir parent. Il n'y a pas de livres qui vous expliquent comment vous vivrez l'expérience. Il y a certes des ouvrages de référence, cependant ça reste de la théorie. Tout comme le livre que vous avez entre les mains. Si vous le lisez d'un bout à l'autre sans l'expérimenter dans votre vie, ça reste de la théorie. Faites les exercices, appliquez les trucs dans votre vie et, au pire, ça ne changera rien! Vous n'aurez rien perdu.

Je dis souvent à mes clientes: «Si je vous achète une paire de chaussures pour le tennis, est-ce que ça fait de vous une experte dans ce sport? Bien sûr que non! Si vous lisez trois livres sur le sujet, les règlements et tout l'entrainement, est-ce que vous deviendrez une meilleure joueuse de tennis? Bien sûr que non! Cependant, si vous vous rendez au terrain et que vous pratiquez tous les jours de la semaine, eh bien là, ça devient une réelle expérience dans votre vie. Et c'est ainsi que le changement s'opère et vous devenez une bonne joueuse.»

C'est la même chose dans tout. J'entends souvent les gens dire: «Je veux être heureux!» Parfait! Alors qu'est-ce que vous faites concrètement dans votre vie de tous les jours pour être heureux? Euh! pas grand-chose. Et vous vous attendez à être heureux? Bien, voyons!

La définition de la folie selon Einstein est de toujours répéter la même chose et de s'attendre à des résultats différents. Le bonheur, c'est comme vouloir être bon au tennis. C'est comme un muscle, il faut l'entrainer tous les jours. Vous avez fait le choix d'être heureux, parfait; maintenant bougez! Il faut passer à l'action et mettre tout en œuvre pour que vous le soyez. Un petit geste à la fois. C'est comme souhaiter un travail et ne jamais envoyer son curriculum vitae. Vous voulez travailler? Alors, bougez!

J'ai souvent dit à mes enfants: «Mettez des lignes à l'eau. Vous aurez beau être à la pêche, dans la chaloupe, sur l'eau avec un beau soleil, si vous ne mettez pas de lignes à l'eau, vous ne pêcherez jamais de poisson.»

J'ai une théorie que j'ai nommée: *La théorie de la bonne étoile.* Elle est inspirée de la citation du Dalaï-Lama. «Tout le monde a une bonne étoile, il n'y a que des gens qui ne savent pas lire le ciel.»

Vous pouvez faire l'exercice si ça vous plait. Découpez trois triangles dans un papier cartonné et suivez les étapes suivantes.

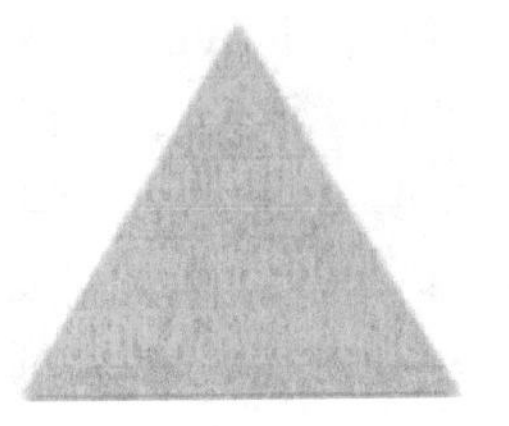

1.
Mon VRAI moi

2.
Mes cadeaux

3.
Mon coffre à outils

Les trois triangles formeront votre bonne étoile.

Dans le premier triangle, vous y retrouvez tout ce que vous êtes réellement. Je crois que chacun de nous vient avec une portion de traits de personnalité innés. Un libre arbitre, d'une certaine façon. On peut se référer à l'histoire des jumeaux énoncée plus tôt au chapitre dix. C'est notre MOI véritable, notre essence pure. Inscrivez dans le premier triangle les informations qui vous viennent de votre enfance.

Numéro 1 - Mon VRAI moi

Par exemple, forte, drôle, coquette, créative, énergique, *etc.*

Ensuite, dans un deuxième temps, s'ajoute un autre triangle que j'appelle les «cadeaux» de la vie. Nous venons au monde dans un environnement quelconque. Nous sommes d'accord que votre réalité est totalement différente si vous êtes venue au monde au Québec plutôt qu'au Rwanda, par exemple. Vous avez eu des parents qui ont été ce qu'ils ont été, une bonne ou une moins bonne santé, et vous avez vécu certaines expériences.

Numéro 2 - Mes cadeaux

Voici quelques exemples: père absent, mère violente, bonne santé, née au Québec, famille pauvre, *etc.*

À partir de ces données, vous avez bâti ce que j'appelle le coffre à outils. C'est le troisième triangle. Dans votre coffre à outils, il y a des croyances, des valeurs et le sens que vous donnez à votre vie. Ces trois choses sont la base de toutes vos actions, de tous vos choix et décisions.

Numéro 3 - Mon coffre à outils

- «Je crois que je ne mérite pas d'être aimée.»
- «Je crois que je suis nulle.»
- «Je crois que les hommes sont des truands.»
- «Je crois que les gens riches sont malhonnêtes.»
- *Etc.*

Maintenant, mettez le numéro 1 en premier sur la table, le numéro 2 par-dessus et le numéro 3 en dernier. Placez-les afin d'obtenir une étoile. Voilà votre bonne étoile!

Ah! je vous entends me dire: «Est-ce que vous riez de moi, là?» Bien sûr que non, je ne ris pas de vous. Quand vous regardez votre bonne étoile, qu'est-ce que vous apercevez? Vous ne voyez que ce que vous croyez. Ce n'est pas vous, ça. Ce n'est que le résultat de ce que vous avez conclu. Vous n'êtes pas nulle, vous croyez que vous l'êtes, et c'est bien différent! Vous avez cru cela parce que quelqu'un vous l'a dit; et parce que c'était quelqu'un d'important et de significatif, vous l'avez cru. Est-ce que vous pouvez être certaine à cent pour cent que ce qu'a dit cette personne est vrai? Bien sûr que non. Cependant, aujourd'hui vous vivez en emportant cette croyance avec vous partout. C'est ce que vous projetez aux autres autour de vous parce que vous êtes convaincue que c'est vrai. Cependant, il n'en est rien, rien du tout. Vous êtes beaucoup plus qu'une simple croyance limitante.

La problématique dans tout cela, c'est que l'être humain fonctionne avec cette bonne étoile sans penser y apporter les modifications et changer quoi que ce soit. Nous ne voyons et ne fonctionnons qu'avec le triangle du dessus qui est celui basé sur le triangle numéro 2 et l'on oublie le numéro 1 qui est notre véritable MOI. Il y a dans ce premier triangle toute la richesse de l'être que vous êtes.

Faites un test juste pour le plaisir. Inversez les triangles. Lisez le numéro 1 en premier.

Quand vous êtes... (exemple: drôle et forte)

- Comment cela modifie-t-il votre croyance... (exemple: d'être nulle)?
- Comment cela améliore-t-il votre situation quand vous avez... (exemple: de l'humour) pour dédramatiser ce que vous vivez?

Quand vous êtes... (exemple: coquette)

- Comment cela améliore-t-il votre croyance... (exemple: de ne pas mériter d'être aimée)?
- Comment cela modifie-t-il votre comportement quand vous êtes... (exemple: coquette)?

Quand vous êtes… (exemple: créative)

- Comment cela bonifie-t-il l'ensemble de vos croyances et de votre expérience de vie puisque vous avez de la créativité pour vous sortir de toutes les impasses?
- Comment votre vie s'améliore-t-elle lorsque vous avez… (exemple: de l'énergie, de l'humour et de la créativité) pour la façonner à votre image, à votre couleur?

Quand vous prenez le premier triangle et que vous lui attribuez son rôle d'être le premier, c'est toute votre vie qui en est transformée. Même vos croyances actuelles le seront, car elles ne correspondent pas à qui vous êtes réellement.

Maintenant, pour ce qui est du deuxième triangle, je l'appelle les «cadeaux», car ce sont en réalité de vrais cadeaux. Toutefois, ils sont parfois bien mal emballés!

Si nous reprenons l'exemple ci-haut:

- Qu'avez-vous appris ou qu'est-ce que cette situation vous a apporté d'avoir un père absent?

Par exemple:

- «J'ai développé mon autonomie.»
- «J'ai un sens des responsabilités très développé.»
- «J'ai appris à ne pas attendre des autres, *etc.*»
- «J'ai appris… et j'ai développé…»

Dans chaque situation, il y a des cadeaux. Si la situation vous semble trop près de vous ou est encore trop sensible, vous pouvez toujours utiliser la technique d'arbre en arbre que vous avez vue au début de ce livre.

Quand nous trouvons les cadeaux, nous sommes sur la voie de la guérison.

Conclusion

C'EST BIEN SOUVENT PLUS FACILE D'ACCUSER LES AUTRES. C'est une belle façon de se déresponsabiliser et de se donner bonne conscience. Je n'ai rien fait, c'est sa faute. Je le répète: «It takes two to Tango», nous devons être deux pour danser le tango. Les gens qui entrent dans notre histoire ont leur place parce qu'ils cadrent bien avec elle. Comme les roues d'un engrenage, les histoires s'emboitent les unes dans les autres.

C'est un peu comme si vous syntonisiez une station de radio. Si vous êtes sur les ondes du 98,5 FM, vous aurez beau écouter attentivement et espérer ardemment entendre de la musique classique, rien ne se produira même si c'est votre plus grand souhait. Pour ce faire, vous devrez modifier les ondes pour le 99,5. Dans votre vie, c'est la même chose. Ce que vous croyez guide votre attitude et votre comportement et fait en sorte que vous émettez des ondes X qui attirent à vous des gens de la même vibration. Vous devrez alors modifier vos «ondes», vos croyances, afin d'attirer à vous les gens qui sont vraiment alignés avec qui vous êtes.

Je vous ai dit que je reviendrais sur les différentes facettes de nous-mêmes, alors voici ma théorie là-dessus. J'aime bien répéter que nous sommes comme des «boules disco» remplies de petites pièces de miroir. Chaque pièce représente une facette de notre personnalité. Ces facettes sont reflétées à travers les personnes rencontrées sur notre chemin. Les gens sont de merveilleux enseignants. Vous me suivez?

Si, par exemple, vous rencontrez quelqu'un qui fait des excès de colère et que vous trouvez son comportement tout à fait inacceptable, il devient intéressant de vous questionner afin de comprendre pourquoi ça vous irrite à ce point. Peut-être êtes-vous colérique également? Cependant, vous n'en êtes pas consciente. Peut-être refoulez-vous constamment cette colère au fond de vous? Cela devient-il irritant de voir une personne qui se permet de la vivre pleinement? Peut-être aussi dirigez-vous cette colère contre vous-même?

Je me rappelle qu'il fut un temps où je n'avais aucune tolérance envers les gens que j'estimais «étroits d'esprit». Ayant travaillé dans le merveilleux monde du voyage pendant plus de dix ans et ayant beaucoup voyagé, je ne pouvais absolument pas tolérer les personnes qui ne démontraient aucune ouverture d'esprit face aux différences de culture, de mœurs ou de rang social. Le plus amusant, c'est qu'en fait je n'avais pas plus d'ouverture d'esprit que ces gens envers eux! Je ne regardais que ce comportement et ne voyais pas les autres aspects de leur personnalité. J'adoptais le même comportement à leur égard que celui pour lequel je les jugeais! J'étais moi-même étroite d'esprit envers eux. Nous avons à apprendre de ces histoires, même les plus folles.

Comme nous l'avons vu dans la théorie de la bonne étoile, il est impératif de trouver les cadeaux dans vos expériences de vie, qu'elles soient positives ou négatives. Vous allez me dire qu'il y a des histoires d'horreur et que personne ne mérite de vivre cela. Je sais. J'en ai entendu, des histoires incroyables, parmi mes clientes, des expériences que vous n'oseriez même pas imaginer, des images impensables que vous ne voulez pas savoir ni vivre.

Cependant, je peux vous garantir que ces gens ont développé une force hors du commun. Quand nous prenons le temps de retirer les «cadeaux» de ces histoires, ils nous servent ensuite de levier d'action dans notre vie.

Je pense à Pierre Lavoie. Y a-t-il plus grande tragédie pour le cœur d'un parent que de perdre ses enfants? Et regardez ce qu'il a accompli par amour pour eux, c'est grandiose. Cette histoire est connue et il y a aussi une multitude d'exemples moins connus et tout aussi honorables.

Je pense aussi à cette femme qui a été abusée par son père pendant les neuf premières années de sa vie. Elle s'est trop longtemps valorisée dans la sexualité, car elle avait conclu que c'était la seule façon dont les hommes l'aimeraient. Aujourd'hui, son expérience de vie lui sert pour aider les femmes abusées dans un centre d'aide. Elle a trouvé sa voie et a fait la paix avec son histoire. Elle a réalisé qu'elle n'était pas son histoire, que ce n'était qu'une histoire. Le jour où elle a fait cette prise de conscience, sa vie en a été transformée et l'amour sincère est entré dans sa vie.

Il y a aussi cette jeune femme au début de la trentaine qui a perdu sa mère à l'âge de deux ans et qui, à la suite d'événements, a été placée en foyer d'accueil parce que son père alcoolique n'était pas en mesure d'assurer sa sécurité. Elle a été ballottée de famille en famille, a connu les abus et la violence physique. Elle n'avait pas terminé ses études et travaillait dans un bar avec le rythme de vie que cela implique. Elle a eu un enfant d'un père inconnu et elle était en train de répéter le même cercle vicieux que sa mère. Sa mère avait accouché d'elle à l'âge de seize ans et avait connu l'abus de son père alcoolique. Après avoir fait de multiples prises de conscience à la suite de nos rencontres, elle est retournée sur les bancs d'école pour obtenir un diplôme d'éducatrice spécialisée et travaille aujourd'hui dans un centre de la petite enfance. Son bagage et son expérience de vie sont pour elle une grande richesse dans l'exercice de son métier. Aujourd'hui, sa vie a un sens à ses yeux.

Je peux aussi vous parler de Suzie qui, en apparence, a eu une enfance tout à fait normale, selon elle. Suzie a eu de bons parents. Cependant, sa mère a été malade toute sa vie durant. Suzie a donc été la mère-substitut pour ses frères et sœurs. Lorsque nous sommes amenés à être un adulte durant notre enfance et que notre enfant intérieur n'a pas eu d'espace pour vivre, nous restons bien souvent dans les responsabilités toute notre vie. Étant donné que nous n'avons pu «prendre» de notre mère, il nous est impossible de prendre des autres. Nous donnons, donnons et donnons.

Nous devenons la mère de tous et nous voyons à nous occuper de tout le monde, de notre famille, de nos amis, de nos collègues, *etc.* En fin de compte, nous ne savons pas qui nous sommes, ce dont nous avons besoin et encore moins comment recevoir aide et amour. L'épuisement s'ensuit et nous nous retrouvons à trente, trente-cinq ou quarante ans sans identité et sans points de repère pour modifier ce qui ne va pas. Suzie a appris à s'aimer et à prendre soin d'elle. C'est une femme épanouie aujourd'hui. Et c'est merveilleux de la voir!

Il n'est pas nécessaire de vivre un drame pour accomplir de grandes choses. Être soi est une belle façon d'accomplir une grande chose. Oser être soi-même.

Nietzsche a dit ceci: «Tout ce qui ne nous tue pas nous rend plus forts.»

Je pourrais en vouloir au père de mes enfants de m'avoir fait souffrir, de m'avoir ridiculisée, d'avoir brimé ma créativité, de m'avoir culpabilisée, d'avoir réduit ma confiance et mon estime de moi-même. Cependant, aujourd'hui, j'ai plus envie de lui dire merci de m'avoir appris à me respecter, à me tenir debout et à m'aimer. Grâce à cette expérience, j'ai reconnu mes valeurs les plus profondes, j'ai appris à poser mes limites et j'ai choisi la route vers le bonheur. J'ai aussi appris à me connaitre et à reconnaitre mes forces et mes faiblesses, et à accepter ma vulnérabilité. Par-dessus tout, il m'a donné ce que j'ai de plus précieux au monde : mes enfants.

J'ai réalisé avec le temps que les gens qui rabaissent les autres souffrent beaucoup et qu'ils ont un besoin de se valoriser eux-mêmes. C'est un mécanisme de protection. Ils ont bien souvent une peur incontrôlable de se sentir inférieurs, alors ils ont besoin de diminuer l'autre pour se sentir grands. C'est un moyen de se valider. Par exemple, après une séparation, un père qui blasphème contre la mère, ou vice versa, est une façon pour le parent qui critique de se valider comme étant un bon parent et non pas l'autre. C'est encore une fois l'ego qui pousse à faire ce genre de critique. De toute façon, pour être franche avec vous, j'ai vraiment la croyance que critiquer autrui est une magnifique autobiographie.

Aujourd'hui, je sais que je suis belle. Je suis belle parce que je suis heureuse. La beauté, c'est bien relatif pour moi. Lorsque j'avais quatorze ans, j'ai eu un accident de vélo qui m'a complètement défigurée. J'ai eu la moitié du visage arraché par le bitume qui n'a eu aucune pitié pour ma peau fragile, sans compter les petits cailloux qui avaient trouvé refuge dans ma joue et mon menton. Comme si le «look» n'était pas assez charmant, j'ai dû appliquer une crème gluante sur mon visage durant des semaines. J'avais l'air d'un monstre, comme dans le film *Mask* avec l'acteur Eric Stoltz. J'ai vite compris que la beauté est bien au-delà des apparences, parce que la beauté extérieure, nous pouvons la perdre en un seul instant. Heureusement, cette *glue* puante aura eu raison des cailloux et des cicatrices qui ne sont plus qu'un souvenir aujourd'hui.

Je suis belle parce que j'ai appris à m'aimer. Je continue d'apprendre sur moi et à assumer toutes les belles facettes de ma personnalité. J'ai encore besoin d'apprendre à recevoir l'amour des gens qui m'entourent. J'ai appris à aimer mon corps à nouveau, à l'accepter tel qu'il est. Mes seins sont toujours aussi petits et je les aime comme ils sont. Mes vergetures sont toujours présentes sur mon ventre et je fais des blagues en disant que c'est une carte routière vers le nirvana! Encore là, je répète souvent que le corps, c'est une question de mode.

À l'époque de la Renaissance, les grands peintres comme Renoir soulignaient la beauté des rondeurs féminines et les femmes menues comme moi étaient jugées mal nourries et en mauvaise santé. Était-ce réellement vrai? Probablement que non. Cependant, les femmes rondes étaient à l'époque considérées comme des icônes de beauté. Aujourd'hui, nous sommes à l'autre extrême du balancier. Qui peut me dire ce qui détermine les critères de beauté? Y a-t-il quelqu'un qui, un jour, s'est levé en déclarant: «À partir d'aujourd'hui, voici les nouveaux critères de beauté!» Eh bien, je lui dis haut et fort, au nom de toutes les femmes, qu'il aille au diable!

Arrêtons ce carnage qui a pour but d'atteindre un idéal qui n'existe pas. C'est de l'illusion, tout ça! L'idéal, c'est vous, telle que vous êtes. C'est moi telle que je suis, c'est votre sœur, votre cousine, votre fille, votre voisine, votre meilleure amie, la dame qui attend l'autobus, celle qui travaille au marché, l'avocate qui défend votre cause, *etc.*

Je suis comme je suis et je m'accepte comme je suis. J'ai décidé d'arrêter de me faire souffrir. Il m'arrive encore parfois de me réprimander moi-même, d'être dure envers moi-même. C'est beaucoup mieux qu'avant, croyez-moi, et j'apprends un peu plus chaque jour à me donner de l'amour et à être indulgente, douce et patiente à mon égard. C'est un «work in progress». Je me respecte davantage et je ne laisse plus les gens essuyer leurs chaussures sur mon dos. Je ne permets plus que l'on m'accuse gratuitement et inutilement. Je sais que je mérite le respect, je sais que nous le méritons tous et toutes.

Chaque être humain a droit au respect et à ses idées, a droit de s'exprimer, d'être différent, d'être authentique, d'être vrai et d'être soi, tout simplement.

Ne laissez pas les autres vous dicter vos pensées, détruire vos rêves, vous rabaisser ou vous faire violence d'une quelconque façon. Vous méritez ce qu'il y a de mieux. Croyez en vous.

Maintenant que vous connaissez votre essence pure, vos valeurs et vos croyances, que vous avez regardé d'où vous venez et que vous savez vers où vous allez, vous avez une tonne d'outils dans votre coffre. Choisissez ceux qui vous conviennent le mieux, ceux avec lesquels vous vous sentez à l'aise, et foncez vers votre vie. Donnez-vous la possibilité de rêver.

J'ai lu un jour une phrase qui allait comme suit: «Visez la lune, au pire si vous la manquez, vous atterrirez sur une étoile!» Laissez-vous guider par votre bonne étoile.

Avez-vous déjà réalisé que sur la planète entière, avec ses sept milliards d'êtres humains, il n'y a que vous qui êtes comme vous êtes? Vous êtes unique! Personne d'autre que vous ne peut accomplir les choses comme vous savez les faire, personne ne peut s'exprimer de la même façon, créer de la même façon. Les gens pourront toujours copier, mais l'original sera toujours celui qui vaut le plus cher. Et c'est vous, l'original. Vous avez votre propre valeur et elle est inestimable.

Je vous souhaite bonne route, qu'elle soit sinueuse ou pas, longue ou courte, il y aura toujours de la lumière pour éclairer votre chemin.

Chaleureusement
et avec tout mon amour,

Ariane

Témoignages[1] de FAM,
Femme Accomplie et Magnifique

UNE FEMME DANS UN TOURBILLON, COMME LA FEUILLE QUI S'Y trouve, aura l'occasion de rencontrer les plus belles occasions à attraper au passage!

La quarantaine m'a fait réfléchir et, plus d'une fois, je me suis demandé ce que je pourrais bien faire pour rendre mon plein potentiel dans ma vie, alors que mes enfants quittent le nid un à un!

Étant conjointe d'un homme d'affaires et travaillant pour lui depuis vingt-cinq ans, je lui ai demandé de faire équipe avec lui. J'avais le goût de relever des défis et surtout de m'occuper du futur qui arrivait à grands pas pour nous deux.

Son refus m'a assommée, toute ma vie a repassé comme un film! Je n'ai jamais su ni compris pourquoi, mais j'ai réagi et je l'en remercie aujourd'hui!

Je me suis prise en main. Je me suis demandé ce que j'aimais, ce qui me passionnait, ce qui… et quoi d'autre. Je n'avais mal-

---

1. *Les témoignages sont anonymes afin de respecter la vie privée de chacune.*

heureusement pas de réponses, car j'avais occupé ma vie à aimer mes enfants et mon conjoint, je m'étais oubliée. Voilà que je m'envole vers une nouvelle aventure, car, déchirée, je ne peux que compter sur moi-même.

Je consulte, travaille sur moi, trouve un champ d'intérêt que j'avais, mais oublié depuis. Je retourne à l'école; après dix-huit mois, j'obtiens avec mention mon diplôme et je travaille dans un nouveau domaine qui me passionne. Le bonheur dérange, ma vie change de rue, parallèle à celle de mon conjoint, et, d'un commun accord, nous décidons de nous séparer (moment difficile). Je trouve un endroit où habiter, un bel endroit. Je deviens rapidement la directrice adjointe d'une boutique où je travaille depuis quelques mois. Lors d'un projet, je demande un partenariat avec mon employeur, deuxième refus. On aurait dit le jour de la marmotte. Je me sens encore une fois dévastée. J'ai deux possibilités: la première, rester à son emploi avec ses valeurs et sa philosophie et suivre sa ligne de conduite selon ses convenances ou, la deuxième, me choisir!

Le choix n'a pas été difficile! Je me suis choisie. Avec tout le chemin que j'avais accompli, je désirais plus que tout continuer à avancer et surtout me respecter!

Aujourd'hui, j'ai cinquante ans. Je suis travailleuse autonome, je continue d'étudier afin d'ajouter d'autres cordes à mon arc, oui, à temps plein et j'en suis fière!

Je suis une femme, une mère, une amie, une amoureuse qui a vu les occasions passer et qui a su les saisir, parfois en pleurant, parfois avec la peur, mais toujours avec la foi que la vie me les envoyait pour me montrer que je devais lui rendre ce qu'elle avait pour moi.

Toujours avoir confiance en moi!

Un choix : MOI!

Un mal de vivre, une grande tristesse, la solitude et une grande fatigue m'ont amenée un bon matin à vouloir changer ma façon de vivre. J'en avais assez de geler mes émotions, de reproduire les mêmes «patterns» amoureux, de m'isoler, de ne pas écouter ma petite voix intérieure qui me suppliait d'exister.

Côté cœur, plusieurs années à faire de mauvais choix, à tout donner à ceux qui n'en valaient pas la peine, sinon à passer de longues années de célibat parce que je ne me contentais que d'amants pour ne pas avoir à m'engager émotionnellement.

Je n'arrivais plus à aimer, à m'émerveiller, à m'épanouir et à savoir qui j'étais vraiment. En fait, je ne m'aimais pas!

J'ai alors pris la décision de me prendre en main et de tout faire pour être bien dans mon cœur et dans ma tête dans le but ultime d'être heureuse. Je suis allée chercher l'aide nécessaire pour arriver à me libérer de tous ces boulets que je trainais derrière moi depuis trop longtemps. J'ai entrepris une thérapie afin de me défaire de cette mauvaise habitude que j'avais de «geler» mes émotions. Ce cheminement personnel m'a permis de mieux me comprendre, de pardonner aux autres et à moi-même, et de me sentir plus légère pour aller de l'avant. Étant une hypersensible, le plus difficile a été de ressentir, de vivre pleinement mes émotions tout au long de ce parcours. J'ai dû apprendre à les reconnaitre et à ne pas les étouffer comme j'avais l'habitude de le faire.

J'ai ensuite apporté des changements importants dans ma vie. Au fil du temps, j'ai changé mon réseau social et je me suis entourée d'amis de qualité qui correspondent à mes valeurs d'aujourd'hui. Je me suis rapprochée considérablement de ma fille, une ado qui ne vit pas toujours des choses faciles, j'ai pardonné à mes parents qui n'ont jamais su qui j'étais vraiment, je me suis également pardonné plusieurs choses. Et surtout... je m'aime! Je pouvais donc aimer et c'est là que mon grand amour a croisé ma route. Je vis maintenant une belle histoire depuis près de deux ans et c'est le bonheur parfait pour moi.

Le fait d'avoir développé plusieurs sphères dans ma vie m'a permis de ressentir un bel équilibre. Je me trouve si choyée de tout ce que la vie a à m'offrir. J'ai appris à apprécier les petites choses de la vie, à donner, à vivre au jour le jour, à AIMER.

J'ai compris que tout partait de moi, qu'il n'en tenait qu'à moi d'être heureuse. Le bonheur attire le bonheur. Il suffisait de faire le bon choix, c'est-à-dire MOI!

La petite fille dans le corps d'une femme !

Avec la petite fille que j'étais et qui vit toujours en moi, je sais aujourd'hui à cinquante ans que l'action, les projets, la création, les défis, l'exploration, l'évolution, l'observation et le mentorat sont tous des qualificatifs qui me décrivent très bien.

Après avoir traversé différentes expériences que je qualifie vraiment aujourd'hui d'enrichissantes, telles que la maladie, la dépression, les accidents, les épreuves et les confrontations, j'aimerais vous dire que la «vie» est faite de ces «surprises» qui, justement, nous font cheminer.

Savoir les accueillir, leur dire merci malgré tout (eh oui, je sais que c'est difficile, voire très difficile), mais, en fin de compte, tellement enrichissant.

Voir la vie comme un chemin rempli de découvertes au lieu de la juger injuste nous fait vivre ces expériences de façon beaucoup plus constructive, donc plus enrichissante, et nous fait sentir en vie, et non mourantes! Tout est dans la façon de voir les choses, on ne le dira jamais assez!

À l'âge de quarante-quatre ans, j'ai subi l'ablation de la glande thyroïde. La convalescence ne devait durer approximativement qu'un mois. Mon corps, lui, n'avait pas été avisé de ce détail… Une bataille pour la vie contre le temps, la mort, le deuil s'enclenchait littéralement. De la femme active et sportive que j'étais, j'étais devenue «une ombre dans l'obscurité de ma chambre» malgré le soleil flamboyant du printemps. Aucune énergie et des idées suicidaires, plus rien n'était harmonieux en moi-même, je ne me reconnaissais plus du tout et je ne savais plus où et qui j'étais.

Deux années (et non un mois tel que prévu!) seront nécessaires pour me remettre sur pied. Passant de zen et active que j'étais avant l'opération à un teint gris et un vrai cobaye médical après l'opération, rien n'allait plus! Dès l'instant où j'ai commencé à aller mieux (après deux ans), j'ai capté littéralement ce moment d'énergie et trouvé la bonne question à me poser: *comment purger toutes mes cellules de ce négatif qui a envahi mon corps et mon âme?* La réponse (dans mon cas) a été d'aller marcher sur les chemins de Saint-Jacques de Compostelle en Europe (France et Espagne). Les mots me venant à l'esprit à ce moment étaient: bouger, marcher, transpirer, perdre mes repères et aller me «retrouver». Les chemins de Compostelle se sont avérés tout simplement PARFAITS pour *vivre* la réponse à mon besoin.

J'en suis revenue avec ces brèves descriptions:

- Marche = sérotonine, hormone du bonheur.
- Espagne = chaleur, donc purge corporelle.
- Perdre ses repères = ouvrir les yeux pour mieux voir où l'on est!
- Rencontre avec l'international = apprendre à se connaitre dans la différence des autres.

- Exercice physique = perte de poids et se sentir devenir légère et bien dans son corps.
- Langue étrangère = apprendre à se faire comprendre et apprendre à s'exprimer.
- Compostelle = chemin incontournable pour se sentir en vie!

Je pourrais en écrire encore et encore… mais simplement, je dis merci à mon chemin de vie.

Merci! Je dois mon indépendance à mon père qui nous a «abandonnés» lorsque je n'avais que six ans (famille de neuf enfants). J'ai appris qu'une femme trouve toujours des solutions avec un peu d'imagination. Bravo à ma mère!

Merci à ma famille qui n'est pas venue assister à mes spectacles d'enfant (pièce de théâtre, spectacle de gymnastique) et à l'ouverture de mon entreprise. J'ai compris que des modèles de vie, ça se trouve partout et ailleurs que dans son cercle familial!

Merci à cette opération à la gorge qui m'a jetée deux années en invalidité. Grâce à ce moment intense, une entreprise unique en son genre et reconnue internationalement est née.

Bref, il y en a encore et encore à remercier…

Quand on veut, on fait… Quand on sait le pourquoi, on trouve le comment!

Bon chemin à toutes les femmes qui, au fond d'elles, savent que:

- focaliser sur des problèmes nous guide sur le chemin des problèmes…
- focaliser sur la solution nous amène inconditionnellement à la réussite de la découverte de nos forces!

Le jour où je me suis choisie...

J'avais trente-six ans. J'étais en couple depuis vingt-deux ans avec mon *highschool sweet heart.* Nous avions deux jeunes enfants (quatre et six ans), chacun une belle carrière, une nouvelle maison que nous avions fait construire dans un quartier de rêve; nous étions entourés d'amis et de nos familles, et nous avions une situation financière enviable.

À cette époque, je croyais avoir atteint mon idéal de vie familiale. Je croyais avoir réussi là où mes parents avaient échoué. J'avais des projets plein la tête: notre mariage, des voyages, un chalet et une année sabbatique pour faire le tour du monde avec les enfants. Je croyais que mon couple allait bien et que ma vie était parfaite ainsi! Je croyais être en contrôle.

Un soir, ma petite voix intérieure, celle qui ne se trompe jamais, m'a dit que je ferais mieux d'attendre mon conjoint plutôt que d'aller me coucher... Il devait revenir d'une réunion mais j'avais des doutes... Je suis restée assise sur le côté de notre lit jusqu'à son arrivée à la maison.

Ce soir-là, je l'ai confronté. Il m'a tout avoué. Il était amoureux de ma grande amie qui était aussi ma petite-cousine. Il ne savait pas comment me l'annoncer. Ça durait depuis plusieurs mois déjà.

Ma réaction fut tellement intense que j'en ai oublié des bouts. J'ai crié, j'ai pleuré, j'ai frappé... En quelques minutes, mon monde venait de s'écrouler. Celui que j'avais mis tant d'amour et d'effort à construire pendant des années.

J'ai vécu cette séparation comme un tsunami. La vague avait tout emporté sur son passage. Il ne restait plus que moi sur la plage. J'étais seule et remplie de rage. Je me sentais anéantie.

Dans les mois qui ont suivi, l'adrénaline m'a permis d'aller en médiation, d'acheter une nouvelle maison, de déménager et d'aller travailler tous les jours. Je fonctionnais sur le pilote automatique. Je maigrissais, je ne dormais presque pas, je haïssais mon ex-conjoint et sa dulcinée jour et nuit. J'étais remplie de colère et d'agressivité. Je ne faisais que penser à tout ce que j'avais perdu : mon conjoint, ma famille de rêve, mon amie, ma maison, mon quartier, mes amis de couple qui ne savaient plus comment réagir. J'avais l'impression d'être vide à l'intérieur. La femme ensoleillée que j'étais était devenue aigrie par les événements. Un monstre me grugeait de l'intérieur, ma vie était noirceur et vide de sens. Je venais de perdre tous mes repères. La nuit, je faisais des cauchemars. Le matin, je pleurais en position fœtale dans ma douche. Le soir, j'espérais tomber malade pour en finir. Je pensais au suicide. La noirceur totale...

Un jour, je suis rentrée au travail et j'ai craqué : j'ai fondu en larmes devant la secrétaire. Je venais d'atteindre le fond. Je n'arrivais plus à fonctionner, même avec mon pilote automatique. Ce matin-là, une collègue m'a parlé d'Attitude : un centre de ressourcement à Saint-Jérôme. J'ai téléphoné. Il restait une seule place pour la session de cinq jours qui débutait le lendemain. Mon père garderait les enfants. Ma patronne (un ange!) acceptait de me faire remplacer durant le temps dont j'avais besoin pour me refaire une santé.

J'y suis allée et ça m'a sauvé la vie. J'y ai appris beaucoup, surtout que tout est une question d'attitude. J'ai arrêté de voir mon verre à moitié vide. J'ai commencé à regarder de plus près ce qu'il y restait. J'avais deux beaux enfants enjoués et en santé, une famille aimante et prête à m'aider, des chums de filles incroyables, un travail gratifiant, une maison chaleureuse et, surtout, j'avais la santé pour me permettre de poursuivre ma vie. Il me restait encore beaucoup de travail à faire, mais j'avais les capacités pour m'en sortir. Et je venais de le décider. Je voulais reprendre le contrôle de ma vie parce que j'en valais la peine!

Je voulais redevenir la femme pétillante que j'étais... et en mieux!

Ensuite, je me suis mise à lire des livres sur la croissance personnelle et j'ai beaucoup écrit aussi. J'écrivais mes émotions, mes petits progrès, mes moments forts. J'ai appris à me connaitre seule: ce que j'aime, ce que je n'aime pas, ce qui me fait du bien, ce qui me calme dans les moments difficiles. Pour m'aider à sortir ma colère, ma rage et ma peine, je me suis inscrite dans une école de boxe. Je me suis remise en forme et j'ai frappé sur un sac jusqu'à l'épuisement.

Une année plus tard, j'ai suivi un cours de dix semaines (trente heures) sur les étapes de la rupture. J'ai beaucoup appris, surtout qu'il faut se donner du temps pour vivre un deuil complet, jusqu'à cinq ans. Lors de cet atelier, j'ai fait un «carton de vie» tourné vers le futur. «Où voudrais-je être dans un an?» Alors, j'y ai collé des photos, des images de magazines, des mots-clés: de l'énergie positive, la santé, une vie équilibrée, être épanouie, du yoga, du camping avec mes enfants, du vélo, de la marche, des recettes pour reprendre le goût de cuisiner, une visite au musée, être plus zen, de la musique, des livres, l'écriture, un week-end de filles, un chat, un voyage en Italie... Je me suis mise à regarder en avant, à me projeter vers le futur, à afficher sur un carton mes goûts, mes projets, mes rêves. J'ai cessé peu à peu d'être nostalgique.

J'ai aussi fait des rencontres. Les hommes que j'ai côtoyés m'ont permis d'apprendre beaucoup sur moi-même. J'ai appris sur les relations homme-femme, à me respecter, à établir mes limites. J'ai aussi fait le ménage dans mes relations d'amitié. J'ai fait le choix de mettre fin à des relations *toxiques*, malsaines. J'ai pris conscience que je reproduisais certains *patterns* familiaux dont je ne voulais pas. Je sais maintenant comment dire non! J'ai même appris à m'arrêter lorsque j'en ai besoin, à lâcher prise sur ce dont je n'ai pas de pouvoir.

Ce fut long et laborieux. Ce n'est pas facile d'apprendre à se connaitre à la fin de la trentaine. J'avais encore des journées difficiles, mais elles étaient de moins en moins fréquentes. Je me surprenais à rire plus souvent, à prendre plaisir à aller marcher seule, à aller au resto, au cinéma et à assister à des spectacles seule. La nature, les lacs, le feu m'apaisaient. J'allumais une bougie au souper accompagnée d'une musique d'ambiance et je m'ouvrais une bouteille de rouge parce que j'en avais envie. Je prenais un bain de mousse, entouré de chandelles, juste pour moi, pour me faire plaisir. Je réapprenais à vivre sans personne à mes côtés. Je devenais une femme bien avec elle-même, beaucoup plus forte et plus sereine.

Ma vie d'aujourd'hui me ressemble davantage. Je fais de mon mieux avec qui je suis. J'élève mes enfants avec respect, plaisir et humour. Je découvre un nouveau pays chaque année, car c'est ma priorité. Je suis heureuse au travail, j'aime ce que je fais. Je pratique plusieurs sports pour le plaisir. Je déguste la vie avec ses petits bonheurs quotidiens! J'ai maintenant un conjoint exceptionnel qui répond à mes critères d'une relation saine et équilibrée. Il est arrivé dans ma vie lorsque j'ai été guérie. Donc, j'étais prête à le recevoir. J'ai des projets plein la tête, des rêves, des buts à atteindre. Je suis une femme, une mère, une conjointe, une amie et une enseignante comblée.

Le jour où je me suis choisie comme étant la personne la plus importante dans ma vie a été déterminant pour moi. À partir de là, j'ai fait des petits pas pour changer mon attitude et devenir plus positive. Je suis beaucoup plus forte qu'il y a bientôt six ans. Je me connais bien et je suis en harmonie avec moi-même. Je suis une personne équilibrée qui a appris à lâcher prise au besoin. Je suis très fière de tout ce que j'ai accompli. Je suis fière de la femme que je suis devenue: belle, assumée, équilibrée, rayonnante, en paix avec elle-même.

Remerciements

J'AI ÉTÉ TRÈS PRIVILÉGIÉE DANS MA VIE ET JE LE SUIS ENCORE. J'ai été beaucoup aimée. Tout d'abord par mes parents, Jean-René et Marie-Andrée, qui ont su me transmettre des valeurs d'amour sincères et profondes et qui m'ont appris la richesse du cœur. Aussi, par mes sœurs, Geneviève et Stéphanie, qui ont été, chacune à son tour, des amies, des complices et des confidentes.

J'adresse un merci spécial à Geneviève pour son écoute attentive, son soutien, sa patience et son français hors pair puisqu'elle relie et corrige tous mes écrits!

Aux hommes de ma vie : mon premier amour, Dominic, à qui je dois des excuses de ne pas avoir su accepter ce bel amour qu'il avait pour moi, à Carl qui m'a offert le plus beau cadeau qu'un homme puisse offrir à une femme par amour: nos quatre merveilleux enfants. Je t'en serai toujours reconnaissante. À Alain, avec qui je partage ma vie depuis plusieurs années, qui, beau temps mauvais temps, est toujours là pour me soutenir et qui m'a appris le respect de l'individu dans une relation. Tu es pour moi une grande source d'inspiration. Je t'aime.

Mes enfants, les amours de ma vie, mes meilleurs enseignants, mes miroirs d'évolution, mes tendresses au quotidien, mes rappels au moment présent. Je vous adore! Xavier, Guillaume, Sarah et Samuel, vous êtes la lumière dans ma vie.

Et que dire de mes amies qui partagent ma vie depuis bien longtemps déjà: Anik, Martine, Marie-Claude, Annie, Nadine, Caroline, Mireille, Isabelle, Geneviève, vous êtes mes rayons de soleil! Sans vous, je ne serais pas la femme que je suis. Merci, je vous aime!

Merci également à David qui m'a permis de me fragiliser en beauté, à mes enseignants du CQPNL, Guillaume, Paul, Catherine et Luc Antoine qui ont peaufiné l'étoffe que j'avais confectionnée jusqu'à aujourd'hui.

À Régis, qui m'a ouvert la porte sur la magnificence de l'écriture. À Marthe St-Laurent, qui a cru en mon projet de livre et qui m'a si bien guidée. Finalement, à Mathieu Béliveau pour m'avoir donné ma première chance d'être publiée.

À tous ceux qui ont croisé mon chemin, de près comme de loin, qui m'ont aimée ou détestée, je vous dis merci, sincèrement!

Namasté

Des ouvrages inspirants qui ont transformé ma vie et celle d'autres femmes

BERNARD, David (2010). *Ralentir pour réussir*, Québec, Isabelle Quentin Éditeur, 157 p.

COELHO, Paulo (1987). *Le pèlerin de Compostelle.* Paris, Éditions Anne Carrière, 327 p.

COEHLO, Paulo, (1988). *L'alchimiste*, Paris. Éditions Anne Carrière, 252 p.

DALAÏ-LAMA 14e, sa sainteté et CUTLER, Howard (1999). *L'art du bonheur*, Paris, Éditions Robert Laffont, 303 p.

FONTAINE, Johanne (2012). *Hop la vie!*, Longueuil, Performance Édition, 153 p.

GAWAIN, Shakti (2006). *Technique de visualisation créatrice*, Paris, Éditions Le courrier du livre, 203 p.

GOUNELLE, Laurent (2008). *L'homme qui voulait être heureux*, Paris, Éditions Pocket, 127 p.

GROLEAU, Yves et PREMONT, Martin (2012). *Le cadeau*, Longueuil, Béliveau Éditeur, 237 p.

NADEAU, Alexandre (2010). *L'essence du bonheur*, Québec, Éditions Le Dauphin Blanc, 174 p.

REDFIELD, James (1993). *La prophétie des Andes*, Paris, Éditions Robert Laffont, 267 p.

RUIZ, Don Miguel (1999). *Les quatre accords toltèques*, Genève, Éditions Jouvence, 125 p.

RUIZ, Don Miguel (2004). *La voix de la connaissance*, Paris, Éditions Guy Trédaniel, 235 p.

SHARMA, Robin S. (1999). *Le Moine qui vendit sa Ferrari,* Brossard, Éditions Un monde différent, 237 p.

STRELECKY, John P. (2011) *Le WHY café*, Québec, Éditions Le Dauphin Blanc, 156 p.

STRELECKY, John P. (2011). *Les 5 grands rêves de vie*, Québec, Éditions Le Dauphin Blanc, 223 p.

STRELECKY, John P. et BROWNSON, Tim (2011). *Riche et heureux*, Québec, Éditions Le Dauphin Blanc, 282 p.

TOLLE, Eckhart (1999). *Le pouvoir du moment présent.* Paris, Éditions J'ai lu, 253 p.

WILLIAMSON, Alain (2013). *Le tableau de vie*, Québec, Éditions Le Dauphin Blanc, 136 p.

Des films inspirants qui ont fortifié mon muscle du bonheur

Forrest Gump, (*V.F. Forrest Gump*), de R. Zemeckis, avec T. Hanks, R. Wright, G. Sinise, États-Unis, 1994, comédie dramatique, 142 min.

Gandhi, (*V.F. Gandhi*), de R. Attenborough, avec B. Kingsley, C. Bergen, J. Gielgud, États-Unis, 1982, biographie, 191 min.

La belle verte, de C. Serreau, avec C. Serreau, M. Cotillard, V. Lindon, France, 1996, comédie dramatique, 99 min.

Le fabuleux destin d'Amélie Poulin, de J. Pierre Jeunet, avec A. Tautou, M. Kassovitz, J. Debbouze, France, 2001, comédie romantique, 120 min.

Le guerrier pacifique, (*V.F. Peaceful Warrior*), de V. Salva, avec D. Millman, S. Mechlowicz, N. Nolte, États-Unis et Allemagne, 2006, adaptation autobiographique, 116 min.

Mange, prie, aime, (*V.F. Eat, Pray, Love)*, de R. Murphy, avec J. Roberts, J. Bardem, R. Jenkins, États-Unis, 2010, drame, 139 min.

D'autres liens qui font du bien au quotidien, pour l'âme, le corps et l'esprit

www.momentprésent.com

www.d'iciacompostelle.com

www.vayas.ca

À propos de l'auteure

ARIANE LABERGE EST MAINTENANT CERTIFIÉE COACH PNL DU CQPNL de Montréal. Elle possède aussi une certification en Hypnose humaniste d'Olivier Lockert en plus d'une certification en Constellations familiales et systémiques de l'Académie Claire Khudai et du Hellinger Institute.

Elle anime des ateliers spécialisés pour les femmes, *les ateliers FAM, parce qu'une Femme Accomplie c'est Magnifique*, qui ont pour but de permettre aux femmes de trouver leur équilibre, de se choisir, de déployer leurs ailes et ainsi de prendre leur envol.

De plus, elle offre des ateliers de constellations familiales. Ceux-ci permettent de défaire les nœuds du fil d'amour qui nous relie inconsciemment à nos ancêtres et ainsi d'avancer sur notre chemin en toute liberté. Briser nos *patterns* et nous libérer des blessures émotionnelles.

Ariane continue toujours de peindre pour le plaisir et intègre les arts et la créativité dans chacun de ses ateliers. Comme voyager est une partie intégrante de sa vie, elle accompagnera bientôt des voyages de développement personnel.

Ariane vit toujours une relation épanouissante avec son amoureux. Après une interruption de deux ans, les tourtereaux se sont retrouvés encore plus forts et plus engagés. Les enfants grandissent merveilleusement bien en devenant de jeunes adultes et chacun d'eux poursuit sa route vers le bonheur.

Pour en savoir davantage sur l'auteure, les ateliers et les voyages, consultez son site :

www.arianelaberge.com

⁓

La vie comporte son lot de hauts et de bas,
c'est ce qui lui confère sa grande richesse.
Accepter les changements avec sagesse et humilité
est la clé d'une vie épanouie et bien équilibrée.

– ARIANE LABERGE

⁓

« La vie est un mystère qu'il faut vivre
et non un mystère à résoudre. »

– GANDHI

Autres ouvrages offerts chez Béliveau éditeur ...

l'amour de soi
guérir tout simplement
michelleroy
«J'aime!» Marc Fisher
BÉLIVEAU
éditeur

Karen Casey
Chaque jour un nouveau départ
Méditations quotidiennes pour les femmes
BÉLIVEAU
éditeur

la vérité pour soi
guérir tout simplement
michelleroy
BÉLIVEAU
éditeur

MELODY BEATTIE
SAVOIR
LÂCHER PRISE
I
Méditations
quotidiennes
BÉLIVEAU
éditeur

MARQUIS
Québec, Canada